Herr, schmeiß
Hirn ra!

Herr, schmeiß
Hirn ra!

Die schwäbischen Geschichten
des Gerhard Raff

Deutsche Verlags-Anstalt
Stuttgart

Zeichnungen: Sepp Buchegger, Tübingen

CIP-Kurztitelaufnahme der Deutschen Bibliothek

Raff, Gerhard:
Herr, schmeiß Hirn ra!:
Die schwäb. Geschichten d. Gerhard Raff. –
Stuttgart: Deutsche Verlags-Anstalt, 1985.
ISBN 3-421-06257-9

1. Auflage: März 1985
2. Auflage: Juli 1985
3. Auflage: November 1985

© 1985 Deutsche Verlags-Anstalt GmbH, Stuttgart
Alle Rechte vorbehalten
Abdruck des Beitrags »Heimatland die Filder« (S. 111)
mit Genehmigung des Konrad-Theiss-Verlags, Stuttgart
Lektorat: Ulrich Volz
Typographische Gestaltung: Bernd Penkwitt
Gesamtherstellung: Wilhelm Röck, Weinsberg
Printed in Germany

Inhalt

7 Vorwort

11 Chinäbisches I (1974)

15 Dr Ferdinand (1974)

19 Autospobilmort (1974)

23 Am Grabe Gottlieb Daimlers (1974)

25 Beton-Württemberg (1974)

28 Leute machen Kleider (1975)

31 Chinäbisches II (1975)

35 Sär geährter Herr Operbirgermeister! (1975)

37 Hölderlin en Santa Monica (1976)

39 A Seel vom a Mensche (1976)

41 D' Susan (1976)

43 Chinäbisches III (1976)

47 Seehond ond Sauhond (1977)

49 Stauferle (1977)

52 Glotz & Motz (1978)

57 Keenichs Geburtstag (1978)

61 Intelligenzbestien (1978)

63   Dr Carl Herzich (1978)
67   Des Luisle vo Plattehardt (1979)
71   Dr David (1979)
75   Arms Degerloch! (1978)
79   No nex narrets! (1981)
82   Dui heilig Elisabeth (1981)
87   Dr Gelddeifel (1981)
90   Onser Hegel (1981)
95   Dui Resl vo Wien (1980)
99   Dr Postilljo (1981)
103   Onser Karle vo England (1981)
108   Vom Nikolaus Lenau (1982)
111   Heimatland die Filder (1982)
115   Vom Karl Julius Weber (1982)
119   Denkmalschmutz (1982)
124   So a Menschle (1982)
129   Visagologie (1982)
135   Imagdi (1984)
139   Lausbublereie (1983)

Vorwort

In jenen fernen Tagen vor der Ölkrise von anno 1973, als der wirtschaftswunderliche Fortschrittsglaube noch ungebrochen war, da wuchsen plötzlich allerorten barbarische Betonbunker aus der heimatlichen Erde, und es fanden sich tatsächlich Leute, die diese architektonische Umweltverschmutzung als »städtebauliche Akzente« und »Wohltaten des 20. Jahrhunderts« bejubelten. Als dann sogar mein im Krieg unzerstört gebliebenes Heimatdorf Degerloch auf den Fildern, dem meine Familie seit der Besiedlung in grauer Vorzeit agrarisch verbunden ist, allen Ernstes in einen Betonklotz verwandelt werden sollte, da gelobte ich bei meinen Degerlocher Ahnen, gegen diesen profitablen Wahnsinn anzugehen und meiner Lebtag lang allen Hurglern, die sich an der Verschandelung und Zerstörung unseres Heimatlandes erfreuen und bereichern, nach besten Kräften das süße Leben zu versauern.

Erfreulicherweise ergab es sich in jener Zeit, daß die *Stuttgarter Zeitung* Bedarf für einen Mundartschreiber hatte, und so begann ich, schwäbisch zu schreiben, in der als Bauernsprache verachteten und vom Verschwinden bedrohten Muttersprache eines Friedrich Barbarossa, Schiller und Hölderlin.

Den Widerspruch zwischen meinen satierisch-ernsten Absichten und dem Wunsch nach Schätzle-Spätzle-Kehrwochen-Geschichten verkraftete ich anfänglich, indem ich meinen Texten ein, zwei kritische Sätzlein unterjubelte. Nach einiger Zeit war es mir dann vergönnt, sehr gelegentlich auch Geschichten loszukriegen, die meiner obgenannten Lebensaufgabe wenigstens ein bißle gerecht wurden. Und neben der Zustimmung sehr einfacher Leute erfreuten sie sich allmählich auch wachsender Wertschätzung im Professoren- und Intellektuellenmilljöh. Höhepunkt des geistigen Schaffens war jedoch jener Tag, da eine der schwäbischen Glossen in den internationalen Pressestimmen der *FAZ* zitiert wurde.

Noch ein paar Bemerkungen zum Buch: Die schwäbische Sprache ist so reich an Lauten, daß sie mit den Buchstaben des Alphabets nicht auskommen kann. Manche Mundartisten verwenden eine »progressive« Schreibweise, die aber trotz ihres exotischen Aussehens dem Lautklang auch nicht näherkommt. (So bedeutet etwa »i ben oganga«

keine Gleichsetzung mit dem Urwaldarzt Albert Schweitzer, sondern schlicht: »i ben agange«, also auf jemand oder etwas hereingefallen.) Mit Rücksicht auf die Länge der Texte und auf die Leser, die des Segens, als Schwabe geboren zu sein, nicht teilhaftig wurden, habe ich die lesbarere Schreibweise bevorzugt.

Den Buchtitel »Herr, schmeiß Hirn ra!« verdanke ich dem Oberbürgermeister einer der Betonierung ebenfalls preisgegebenen südwestdeutschen Großstadt, der diese Worte in einem Leserbrief von sich gegeben hat.[*]

Bei dem nach der Gottesgabe Hirn ausgreifenden Pärchen auf dem Schutzumschlag handelt es sich um die Sibylle von Tibur und Kaiser Augustus nach dem Basler Altargemälde unseres Landsmannes Konrad Witz aus dem Museum der Schönen Künste von Dijon.

So liegt hier ein Buch vor, dessen Titel »einer der nachdenklicheren Männer der westdeutschen Politik« und Träger des »Ordens wider den tierischen Ernst« formuliert hat und das bereits auf dem Umschlag einen echten Witz vorweisen kann.

---

[*] *Vgl. hierzu: Norbert Feinäugle, Nachgetragenes Lehrstück zur Dialektglosse in: »schwädds« 4, 1982, S. 28–30; Dieter Herz, Mundart in der Zeitung. Möglichkeiten nicht-hochsprachlicher Beiträge in der Tagespresse, Tübingen 1983, S. 129–131.*

Und weil zu einem solchen Buch anstandshalber auch eine Widmung gehört, so widme ich es all jenen Menschen, die in mir die Freude an der Heimat, ihrer Geschichte und ihren Geschichten geweckt und wachgehalten haben, zuvörderst dem Andenken meiner herzensguten Großmutter Luise Raff (1887–1980), die als einfache Bauernfrau mit fast 93 Jahren noch mehr Verse von Schiller, Hölderlin, Uhland, Mörike und aus Bibel und Gesangbuch hersagen konnte als alle Abiturienten in Württemberg miteinander. Ohne sie wären diese Geschichten nie geschrieben worden.

Degerloch, den 18. Januar 1985   Gerhard Raff

Chinäbisches I

Der international bekannte Schweizer Völkerkund-
ler Professor H. Selwyle-Moine von der Universität
Appenzell hat in seiner jüngsten Veröffentlichung
»Bilaterale Strukturen multifunktionaler Infra-
strukturalregionen unter besonderer Berücksichti-
gung Schwabens und Chinas« (St. Gallen 1974, sfr
34.–) mit seiner These von einer chinesischen Ur-
bevölkerung Schwabens bei Wissenschaft und Öf-
fentlichkeit weltweites Aufsehen erregt.

Ausgange isch der Professor von dr Beobachtung,
daß eigentlich älle schwäbische Haustierle chine-
sisch schwätzet: miao-miao, wao-wao, mu-mu oder
ki-ke-ri-ki. Ond er hot messerscharf überlegt, daß
die des bloß bei de Chinese selber hend lerne kön-
ne. Entweder send no die Viechle aus China zu ons
komme – ond des isch net guet möglich. Denn bis
so a Katz die 7963 Kilometer von Peking nach
Degerloch romlauft, wär se en dr Mongolei verdur-

stet, en Sibirie verfrore, en de Karpate am Spieß
brate oder hätt en Leipzig sächsisch lerne müsse.
Die ander Möglichkeit isch die, daß die Tierle ihr
Sprach bei ons von de Chinese glernt hend. Ond des
hoißt doch nix anders, als daß onser Schwabeländle
früher amol a Chineseländle gwä isch.

Diese frühchinesische Besiedlung lang vor der
keltischen, römischen und alemannischen Land-
nahme beweist der Professor mit Ortsname rond
om Stuegert. Er stellt fenf chinesische Ballungsge-
biete fest: Remstal (Bak-Nang, Wai-Bleng), Gäu (Di-
Tseng, Beb-Leng, Sendl-Feng), Neckartal (Plo-
Cheng, Di-Beng, Rei-Dleng, Me-Tseng, Nei-Phen),
Alb (Men-Seng, Lai-Cheng, Ge-Peng). Am meiste
Chinesedörfer aber fendet mr uff de Fildere (Vai-
Heng, Mai-Reng, Plä-Neng, Aechtr-Deng, Siel-
Meng, Nä-Leng). Ond von dene von (Kadolisch-)
Nei-Hao-Sen hoißt's jo heut no, se seiet halbe Mon-
gole.

En weitere Beweis brengt der Professor mit der
erbbiologische Tatsach, daß's en China overhältnis-
mäßig viel Schlitzauge, bei de Schwabe aber en
Haufe Schlitzohre häb. Ond daß en Stuegert a man-
che(r) grad so gschwolle dät, als wär er (sui) a
gschwistrigs Kend vom Kaiser von China seire
Schwiegermueter ihrer Dötesbas.

Den überzeugendste Beweis für sei These fendet
der Professor Selwyle-Moine aber en dr schwäbi-

sche Sprach selber. Er stellt fest, daß älle schwäbische Urlaut en chinesische Ursprung häbet: Ha-no, Ha-noi, Hai-de-nai, Ha-tschi, Du-mi-ao!

Ond er zählt no weitere 611 Wörter uff, wo en boide Sprache vorkommet (Xang-buch, Tsei-dong, Ba-twan, Ble-tsen, Tsan-wai, etc.). A bissig's Weibsbild hoißt hie wie dort »Tsang«, ond wer »be-sheisen« duet, der »nem-tse-tso-gnao«.

Ond daß au dr letzte Zweifler no überzeugt wird,

brengt der Professor authentische Beispiel von On-
terhaltonge zwischen Chinese ond Schwabe:

Wie amol dui Pekinger Volksoper en Stuegert
gwä isch zom Kulturaustausch, da isch so a Sän-
ger gfrogt worde: »Ha-no, ets-laß-no-mi-gao, aus
Pe-King-sen-tse-ond-senge-den-tse! No-hen-tse-ao-
shao-ts'Bak-Nang-xonge?« Antwort: »Ha-noi, do-
lang-tsei-tet-nom!«

Oder wie em Mao sei Verkehrsminister, dr Om-
Lai-Dong, bei ons gwä isch, hend se dem au die
schöne Autobahne ond Bundesstroße vorgführt.
Ond wie no a paar so Saudackel vorbeigrast send,
als wölltet se oms Verrecke ens Gras beiße, hot dr
Om-Lai-Dong gmoint: »Tlei-Tsen-Tsei!«

Bei äller Logik ond Akribie isch dem Professor
aber doch a kleiner Irrtum onterlaufe (S. 219): Dr
Mao C. Tung isch net dr Ururenkel, sondern dr Ur-
ururenkel vom Johann C. Tung, dem Bäckergsell
aus Bempflingen/Württ., der onterm Herzog Carl
Eugen nach China ausgwandert isch.

Dies ändert aber nichts an dem hohen wissen-
schaftlichen Rang des Werkes, das Professor Selwy-
le-Moine mit einem Zitat des zu Unrecht vergesse-
nen großen chinäbischen Philosophen Hu-Tse-Le
aus Mai-Reng († 1. April 769 v. Chr.) beschließt.
Auf die Frage, was das Wichtigste sei auf dieser
Erde, sagte dieser: »Xon-tsai! Wa-wit-mai?«

Dr Ferdinand

Älle hend gmoint, er dät hondert werde: dr alte
Ferdinand, Bürger ond Wengerter zu Avignon en dr
Provence. Vorigs Johr isch'r no kerzegrad uff seim
Fahrrädle gsesse ond hot seine Goldzäh zeigt. Jetzt
hot mr'n vergrabe, mit vieredachtzig.

Drei Johr drvo hot'r en Wirteberg zuebrocht, als
»prisonnier de guerre« en Nagold ond en Weilim-
dorf, em erste Krieg. Ond's hot net viel gfehlt, no
wär'r für ganz dobliebe. Wenn'r hätt des Mädle
heirate därfe, wo ihn so möge hot wie er sui. Berta
hot se g'hoiße. Aber ihr Vatter hot's net han welle –
wege de Leut. Drom isch'r anno 18 wieder hoim zu
seine Wengert, en sei Provence. Ond nemme
komme.

Aber jedesmol, wenn'r en Avignon en Schwabe
troffe hot, hot'r sich gfreut wie a Kend, hot a Gläsle
Wei nagstellt ond hot verzählt. Verzählt vo sel-
bichsmol, vo seire Zeit em Schwarzwald, vo dere

Berta, vom Strohgäu, vo dr Solitude, vom Sauerkraut, vom Schwarzbrot ond vom Moscht, vom Schloßplatz ond vo dr Hauptstätter Stroß. Dort häb'r älleweil uff d'Gäul uffpasse müeße, solang dr »Patron« en dr «Sonne« gvespert häb. Ond oimol häb'r sogar de Keenich gseh...

Dronternei hot'r au schwäbische Liedle gsonge, wie oiner vom Albverei: »Wenn alle Brünnlein fließen...«, »Jetzt gang i ans Brünnele...« – nach

fuffzig Johr no älle Vers auswendig, ond net bloß de erste, wie mir.

Ond über seim Xang isch'r ällemol hentersennig worde: »Jamais de guerre!« Daß koin Krieg mai gebe soll, hot'r gmoint ond hot oim d'Hand druckt, daß au em ärgste Kommißbeutel d'Lust am Soldäterles vergange wär.

Schad, daß dr Ferdinand koi Diplomat worde isch, der hätt scho gwißt, wie mr's mache mueß, seit'r seine zwoi Buebe verlore hot. Anno vierevierzich dr oine en dr Normandie, anno vierefuffzich dr ander en Indochina.

Uff Stuegert isch'r, wie mr woiß, nie mai komme, mr hot'n jo oft gnueg eiglade ghet. Vielleicht später amol, hot'r gmoint, er könnt doch sei Sach net alloi lasse. Ond jetzt hot'r doch gange müeße. A Schlägle hot'r kriegt, dr Ferdinand, ohne daß'r des Land, »das schönste dort am Neckarstrand«, wien'r emmer gsonge hot, nomol gseh hätt. Aber wer woiß, ob den Ferdinand net au dr Schlag troffe hätt, wenn'r des Strohgäu, des Stuegert, dui Hauptstätter Stroß wiedergsehe hätt...

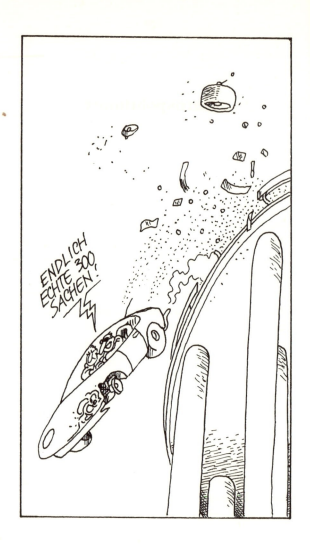

Autospobilmort

Die »Deutsche Verkehrsschlacht e.V.«, eine auf dem Höhepunkt der Ölkrise gegründete Vereinigung gesellschaftlich relevanter Kräfte zur Hebung der Verkehrsunsicherheit, hielt am »Tag des Automobils« 1974 in Stuttgart, der »Wiege des Motors und Heimat des Kraftwagens«, ihre Jahreshauptversammlung ab.

Wie ihr geschäftsführender Vorsitzender, Herr Dr.-Ing. h. c. Ferd. Witzau, in seinem Grußwort im Konferenzsaal des Gasthofes »Zum Engel« beim Pragfriedhof betonte, gibt die jüngste Entwicklung der Unfallzahlen Anlaß zu Optimismus. Auch wenn die in der Vereinssatzung angestrebte Zahl von 20 000 Todesopfern pro Jahr diesmal noch nicht erreicht werden könne, so dürfe man doch hoffen, im kommenden Jahr wieder in die schwarzen Zahlen zu kommen.

Nach Berechnungen des Sadistischen Landesam-

tes könnte diese »Traumgrenze 20000« längst über-
schritten sein, wenn das unsinnige, seinerzeit trotz
der Proteste von Automobilclubs und -industrie
eingeführte Tempolimit innerhalb geschlossener
Ortschaften wieder abgeschafft würde.

In einem eindrucksvollen Appell an die unver-
antwortlichen Politiker aller Parteien bezeichnete
es Ferd. Witzau angesichts einer drohenden Überbe-
völkerung Mitteleuropas als geradezu skandalös,
die beschränkten Autofahrer noch länger am
Grundrecht der freien Wahl ihrer Geschwindigkeit
zu hindern.

Im Mittelpunkt der Veranstaltung stand der Fach-
vortrag »Von der Richtgeschwindigkeit zur Hin-
richtgeschwindigkeit – Aspekte einer humonetären
Verkehrspolitik« von Generaldirektor Curt Sichtig,
stellvertretender Vorstandsvorsitzender der Dr.
Eckschleuder-Motoren AG, St. Inken bei Krachau.
Als Nahziel im Rahmen eines mittelfristigen Lang-
zeitprogramms nannte der Referent die Einführung
von »Tempo 100« als Mindestgeschwindigkeit und
einen gesetzlich festgelegten Blutalkoholgehalt von
0,8 Promille als untere Grenze. Seitens der Technik
sei als flankierende Maßnahme eine Verlängerung
der Bremswege sinnvoll. Zum Abschluß seiner be-
stechlichen Ausführungen forderte Curt Sichtig un-
ter dem bebenden Beifall der begeisterten Zuhörer
die sofortige Beseitigung der diskriminierenden Ge-

länder an Autobahnbrücken: »Freier Fall für freie Bürger!«

In der anschließenden Aussprache warnte Senator August G. Angheim von der Arbeitsgemeinschaft Deutscher Sargfabrikanten nochmals nachdrücklich vor Geschwindigkeitsbegrenzungen jeglicher Art. Nicht allein in seinem Berufsstand, einem der ältesten Gewerbe der Welt, auch im Krankenhaus- und Rettungswesen müsse einer Gefährdung der Arbeitsplätze entschieden begegnet werden. Vollbeschäftigung durch Vollgas sei die Parole.

Bei den durch satzungsbedingte Todesfälle notwendig gewordenen Nachwahlen zum Vorstand wurden einstimmig gewählt: Konsul Friedrich P. Fuscher vom Zentralverband Deutscher Hinterhofreparatöre und, als Beitrag zum Jahr der Frau, die weltbekannte Rallyefahrerin Ellen D. Drexau. Bei der Wahl zum Vereinskassier unterlag der spritzige Automobiljournalist B. Ledenus dem genialen Rennmacheniker S. Ensenmann. Als Schriftführer wurde der seiner risikofreundlichen Konzeption wegen beliebte Werbefachmann A. Dacl im Amt bestätigt. Zu Ehrenmitgliedern ernannt wurden der aus familiären Gründen am Erscheinen verhinderte Scheich Ibn Heh Weni Soras, z. Zt. Baden-Baden, und als Vertreter der multisupranationalen Mineralölkonzerne, Mr. Dean B. Shey sen., Aufsichtsratsmitglied der United Fusel Ltd., Liechtenstein.

Zum harmonischen Ausklang der Tagung in dem autogerechten Benzinluftkurort Stuttgart erfolgte die Uraufführung der Motette für Geisterstimmen und Leichenchor, Opus 22, Knöchelverzeichnis Nr. 166, von Carl E. Boiner: »Wozu ist die Straße da? Zum Krepieren.« Es sangen die Heslacher Humuschorknaben.

Xöff

in vino veritas
in acqua claritas
in lacte sahnitas
in cola woisnetwas

Am Grabe Gottlieb Daimlers

Oh Gottlieb.
Da liegst Du nun im – Uffkirchhof.

Oh Gottlieb.
Hosch dere Menschheit 's Auto gscheekt.
Ond hosch net amol a frischs Bleamle uff'm Grab.

Oh Gottlieb.
Wenn a jeder, mo mit Dir sei Gerstle gmacht hot,
Dir bloß a Veigele nalege dät,
no dät mr des schmecke bis Kaltetal.

Oh Gottlieb.
Du – ond dr Berthold Schwarz – ond dr Hegel.
Ihr drei – oi Gspa.
Hend d'Welt refoluzjoniert.
Ond was hend'r jetz drvo?

Oh Gottlieb ...

Beton-Württemberg

Jetzet, da die allerorten im Ländle als Folge geischtiger Degenerazjon zu beobachtende Betonisierung auch ond sogar en ... (hier kann der Name jeder x-beliebigen Ortschaft im Lande eingefügt werden) ihre grausigen Spuren henterlassen hot ond Millionen aufrechter Bürger dieses Staates sich an den Kopf langet ond jomeret, jetz isch d'Katz scho de Bach na, des liebe Ländle isch versaut, ond älles Räsonniere hilft nex mai. Des wär vor zwanzich Johr no andersch gwä, wie dui Bauerei ond Sauerei ällsgmach agfange hot.

Do hot oiner der scharfsennigsten Denker der damaligen Zeit, do hot dr Speiskübeles-Karle, Mäurermoister zu Heslach, warnend seine Stemme erhoben em Gasthof »Zur Krone« ond ons älle ein Bundesland »Beton-Württemberg« prophezeit. Aber koi Sau hot's glaube wölle.

»Also, ich will amol so sagen«, hot dr Karle gsait

ond isch glei ganz prinzipiell worde, »wenn ich den Onderschied zwischen dere Baukunscht vo früher ond der sogenannte vo heutzudag defitionieren soll, no däte ich moinen wöllen, dui Archedektur der Vergangenheit ischt für das Auge reizvoll, dui Archedektur der Gegenwart aber ischt ein Reiz für die Kuttel ond reizt die Brechorgane. Oi Schachtel wüeschter wie de ander, wo de au nagucksch dr gleiche Krampf ond Gruscht vo Kapstadt bis Cannstatt ond vo Feuerbach bis Philadelphia. Beton isch beautiful, saget die Gipsköpf. Narr, die ghairet doch älle amol a Weile uff de Asperg, daß se au sehe dätet, was der direkt für a Kunschtwerk isch, vergliche mit dem Bubäbberleszeug ond Betoglomp, wo die so mirnex-dirnex en dui arme Welt neistellet. On des wöllet au no Gschtudierte sei, drbei könnt mr moine, 's hätt a jeder vo dene sei Gsellestück am Westwall gmacht. Aber machet no so weiter, ihr Bachel, ond wenn amol älles versaut isch, no merket au ihr ond onsere Obergscheitle, daß onser alte Hoimet halt doch scheener gwä isch als wie dui Neue Heimat.«

So isch's komme, wie's dr Speiskübeles-Karle gsait hot: Uff Schritt ond Tritt en Betoblock. Ond vor jedem frogt mr sich, ob der, wo den nagstellt hot, net sei Hirn em Hosesack romtrage dät, wenn'r sich amol richtig d'Nas putzt.

Aber send denn die Archedekte tatsächlich au so

saudomm wie ihre Bunker aussehet? Wer woiß, vielleicht send die heller wie mir moinet. Ond saget sich, bis jetz hot's no älle fuffzich Johr oin oder zwoi Krieg gäe. Zu was sollet mir do äbbes Schees nastelle, wenn's jo doch wieder zemegschmisse wird? Äbbes Wüeschts duet's do grad so.

Ond au des sott mr net vergesse: Je weiter Scheiß do baut wird en dem Wirteberger Ländle, desto weniger kommet amol d'Russe. Denn die müeßtet jo schee bleed sei ond riegeldomm, wenn se so en Lompegruscht no erobre wölltet.

Beton statt Kanonen, so isch no au wieder.

Suevia

ubi beton
ibi patria

Leute machen Kleider

Es war einmal ein Schneider, ond nomol oiner ond nomol oiner. Älle drei aus Stuegert. Die send nach Köln gange zom »Bundeskongreß des Maßschneiderhandwerks« ond hend dort jeder a Goldmedallje kriegt für ihre Azügle. Ehrlich wohr. Ond jeder aufrichtige Bürger dieser Stadt hätt sich gfreut von Herzen über den phänomenalen Erfolg des heimischen Handwerks. Aber no hend die Schneider en arge Bäpp rausgschwätzt. Sait do oiner von dene: »Die Kleidung gehört für einen Politiker ebenso zum Image wie das Argumentieren mit Schlagworten. (Hört! Hört!) Auch unser Oberbürgermeister sollte das beherzigen. Selbst die sparsamen Schwaben würden ihm eine gewisse Eleganz sicher nicht übelnehmen.« Hano, wo send mr denn? Mir wellet doch koin Kloiderständer als Schultes, em Gegetoil, mr hend ons doch älle saumäßig drüber gfreut, daß'r zom Volksfest 1975 extra sei ältests Azügle

azoge hot. Ond von ons aus ka a Schultes sogar em
Blaue Anton amtiere, wenn'r no äbbes taugt ond
jeden Tag sein Hals wäscht.

Ond überhaupt, als »wirklich eleganter Herr« gilt
bei dene Schneider sowieso bloß der, wo wenigstens
50 000 Mark en sein Kloiderkaste neigsteckt hot.
Zwoi- bis zwoiahalbtausend Mark kostet nämlich
so a vornehms Maßazügle. Do send jo dronternei
d'Kloider weiter wert wie des, was dren romlauft.
Leiste könnet sich so äbbes nadirlich bloß »Herren,
die von 10 000 Mark an aufwärts verdienen«.

Übrigens, dr wirklich eleganteste Stuegerter isch
»ein graumelierter, sehr gut aussehender Herr, der
sich dreimal am Tag umzieht«. Dem sein Name
verrotet der Schneider net, bloß daß'r sich äll vier-
zeh Tag en neue Azug mache läßt, fenfazwanzig em
Johr. Wer woiß, vielleicht isch des a ganz armer
Kerle ond hot d'Leibschwoißete, daß'r dauernd fri-
sche Kloider braucht. Vielleicht isch'r aber au a
ganz reicher Kerle, wo net woiß, wo na mit'm Geld.
No sott mr dem elegante Male amol äbbes verzähle
vom Sankt Martin vo Tours. Des isch der Heilige,
wo sein Kittel en dr Kälte mit dem Bettler doilt
hot...

Die Schneider hend au no en »Landesmodewart«.
Ehrlich wohr. Des isch der, wo bestimmt, was Mo-
de isch ond was nemme. Ond der sorgt no ällemol
scho drfür, daß wieder Gschäft gibt für die Schnei-

der. Ond für die Lompesammler. Oh jo, do sott halt no dr alt Schneiderhannes do sei vo Degerloch! Des isch no a Schneider gwä vom alte Schlag. Was der gmacht hot, des hot a Lebtag lang ghebt ond isch guet gnueg gwä. Ond wenn'r au an jedem Montag Geburtstag ghet hot, so hot'r doch gscheiter rausgschwätzt wie seine Kamerade mit dr Goldmedallje. Dr Schneiderhannes vo Degerloch, der hot emmer gsait: »De graischte Lompe laufet en de feinschte Kittel rom.«

Staatsbesuch

Worom krieget die Großkopfete
emmer en rote Deppich naglegt?

Daß mr die Bluetspritzer
an ihre Stiefel net so sieht.

Chinäbisches II

Der international bekannte Schweizer Völkerkund-
ler Professor H. Selwyle-Moine von der Universität
Appenzell hat im Auftrag des Auswärtigen Amtes
und mit wissenschaftlicher Unterstützung des hol-
ländischen Genealogen Professor Lou G. Beytel,
Universität Etrecht, eine Untersuchung der schwä-
bischen Abstammung von Mao C. Tung vorgenom-
men und in der neuesten Ausgabe der »Zeitschrift
für Geschichte des Goisentäles« (ZGG 34, 1975,
S. 273–390) die Ergebnisse seiner Forschungen ver-
öffentlicht.

Der erste nachweisbare Ahnherr, Emil Christian
Tung, verdiente um 1675 als Goisehirt im Goisetä-
le sein kärgliches, aber ehrliches Brot. Emil C.
Tungs Sohn, Otto C. Tung, hot kurz nach 1700 a
Weile als Stroßebahnschaffner en Stuegert gschafft,
isch aber wege dere schlechte Luft und dene teure
Mietene bald wieder hoim ens Goisetäle. Dessen

Sohn, Eugen C. Tung, vermählte sich 1734 mit Paula Schlotterbeck, Erbin der alteingesessenen Bäckerei gleichen Namens zu Bempflingen zwischen Achalm, Neuffen ond Neckar. Am 1. April 1735 wurde dem Paar ein Kind geboren ond tags zuvor auf den Namen Johann C. Tung getauft. Er sollte dereinst Bempflingens größter Sohn und der Heldenahn von Mao C. Tung werden.

Zunächst aber erlernte der aufgeweckte Jüngling im elterlichen Betrieb das ehrsame Bäckerhandwerk. Ond hätt sicher seiner Lebtag lang Brötle bache en Bempflinge, wenn ihn net dr Herzog Carl Eugen als Soldat an die Holländer nach Batavia verkauft hätt. An dem Soldäterlesgschäft do henter Pfuideifel hot onser Johann aber koi Freud ghet. Er isch ein friedlicher Bürger ond Bäcker gwä, ond bei dr erste Glegeheit isch'r abdampft als blinder Passagier. Aber des Schiff isch net hoimzues gfahre ge Bempflinge, sondern gradeswegs uff Shanghai zue. Dort hot mr'n ens Gfengnis do, aber wien'r dem Direktor zom Geburzdag a paar Lao-gen-brä-tsle bache hot, isch sei Freilassong erfolgt. Ond im Rahmen der Re-so-tsia-li-si-rong hot'r en Kredit kriagt für en oigene Bäckelade. Ond der isch oi oizige Ku-flia-ge-tse gwä von morgnets bis obnets, so verrückt send die Chinese gwä uff seine Tswi-bel-, Tswä-tsh-gen- ond Trei-bles-ku-chen, O-fen-shlu-pfer, Pfi-tsaof, Shnä-ken-nu-dlen, Gu-tsle und

Hu-tsel-brot. Hauptsächlich aber mit Gu-gel-hopf
ond He-fe-tsopf hot er es im klassischen Land der
Zöpfe zu Wohlstand ond Ansehen bracht. Letzteres
auch als Gründer ond Erster Vorsitzender vom
Xang-fe-rai Cong-cor-dia 1759 Shanghai e. V.

Anno 1762 kommt Kaiser Hu-go XXXIII. von
China auf einer Dienstreise nach Shanghai, ond
Seine Kaiserliche Hohait jodlet vor En-tsi-kong
über die chinäbische Spe-tsia-li-tä-ten ond ernennt
Johann C. Tung uff dr Stell zum Kais. Chin. Hoflie-
ferante. Weil aber dia Brä-tsle älleweil altbache gwä
send, bis se dr Hu-go mit seine schlechte Zäh kriagt
hot, hot'r dem Johann den sofortige Om-tsug nach
Peking befohle. Der hot aber net so richtig wölle,
wegem Hoim-wai ond au sonst: »I-ben-bshi-sen-
wia-ni-sao-ma-che-dua. We-ni-uff-Pe-king-gang, no-
kom-mi-jo-nia-mai-hoim. Aber gang-i-net-tsom-
Hu-go, ja-no-gei-tsam-end-gao-noa-tswang-sen-dai-
gnong.«

Er hot no dem Hu-go gfolgt, ond des isch koi
Fehler gwä. Denn sei neus Gschäft en dr Residenz-
stadt isch so gut gange, daß d'Leut bei 're Täufe oder
Leich scho sechs Woche vorher hend ihr'n Gugel-
hopf oder Hefezopf bstelle müesse. Älles wär reacht
gwä, aber oines Dags, dr Johann isch uff die Vierzig
zuegange, hot'r sich gsait: »I-ben-jo-je-tse-tao-ne-
me-dr-jeng-sht. Ond-ika-mai-tsuig-neta-loi-lao, we-
nia-mol-gan-ge-mues.« Ond so hot sich der led.,

dyn., gutsit. Enddreißiger nach eme Weible omgseh,
ond an seim Geburzdag em Frileng 1775 aus lauter
Tsu-nai-gong Frau Li-na Tsang, a vermögende, ver-
witwete Mandarine gheiratet. Glei druff hot'r mit
ihrem Geld in den Pekinger Vororten Hä-del-feng,
Bod-nang, Tsu-fen- ond Tsa-tsen-hao-sen neue Fi-
liale eigrichtet. An Neujohr 1776 kam fristgerecht
der ersehnte Stammhalter uff d'Welt ond hot zu
Ehren des kaiserlichen Paten ond Gönners Hugo C.
Tung ghoiße.

Den weiteren atemberaubenden, aber ganz kon-
sequenten Aufstieg der Familie Tung – getreu den
schwäbischen Prinzipien des Fleißes und der Spar-
samkeit und eingedenk der alten chinäbischen Le-
bensregel »no-nix-o-nai-dix« – erfahren Wissen-
schaft und Öffentlichkeit in der nächsten Ausgabe
der »Zeitschrift für Geschichte des Goisentäles«
(ZGG 35, 1985).

Sär geährter Hert Operbirgermeister!

In der Zeidong habe ich geläsen das die Rennofierung von der Rathausfasade über 4 Milljonen Mark kosten sol das ist kein Papenstil. Aber ich kann Ihnen sagen wie Sie die Rathaustrieler wegkrigen ohne Geld, wenigstens die Trieler außen: Lasen Sie doch einfach den Gemeinderat die Kalksteine abklopfen. Die machen das sicher gerne un umsonst, wenn Sie einen Kameramann vom Fernsähen dazuhinstelen. Sie brauchen ja nix sagen, das der gar kein Film drin hat. Was meinen Sie wie die schafen! Un dann kann auch entlich niemand mär sagen die sin zu dum zum Steineklopfen. Un wenn die Trieler weg sind un das Rathaus entkalkt steint ist, dann können Sie die Fasade fermieten an die gewerbliche Wirtschaft für Leuchtreklame. Für Bietbrauereien, Banken, Automobiele, Spirituosen, für Versicherungen un Hundekuchen zum Beispil. Sie können dafür ja grüne Lichter vorschreiben, dann wird die Siti wider grün wie sie früher war. Un entlich wäre das Rathaus nicht mär das einzicke Haus in der Siti wo keine Versicherungsreklame dran ist was sär unästetisch wirgt. Überhaupt wäre das alles ein schönes Simbol für unsere dünamische Stadt un der mindige Birger sikt dann am Rathaus gleich von außen wer drinen das Sagen hat. Darf ich für die Ausfihrung meiner positiefen Vorschläge gleich meine alteingessesene Stuttgarter Firma (jetat in Leinfelden) emfehlen?

Hochachtungsvoll.

Jan Plethi

Leuchtwerbung GmbH & Co KG

Hölderlin en Santa Monica

Sitzet mir em Sand am Strand vo Santa Monica, denket nix weiters en dere hoiße Sonn vo California, schwätzet halt über dees ond sell. Kommt uff oimol a schees Mädle drher, mit greane Auge ond blonde Hoor. Hot ausgsehe wie em Blautopf dui Schöne Lau, hot sogar no scheenere Füeß ghet wie dui. Hot gfrogt, ob mir aus »Stuttgaad« wäret. Noi, mir seiet vo Degerloch, aber Stuegert, des dätet mr au kenne, do seie mr au scho gwä.

Do hot sich des Amimädle gfreut ond ihre scheene Zäh zeigt ond glacht ond gsait, sui häb a ganz Johr lang en Dibenge studiert. Ond no hot mr nemme gwißt, wer ärger sprudlet, die Welle vom Stille Ozean oder des Göschle. Ond se isch vom Hondertste ens Tausendste komme ond hot oim schier a Loch en Bauch neigfrogt. Wie's denn au dem Graf Eberhard em Bart gange dät. Ob seine Studente emmer no so frech wäret ond mit Tomate schmeißet, ond ob se sich jetz wieder wäsche dätet. Ob em Necker au no so en Haufe heeniche Fisch rom-schwemmet. Ob Bebehause no stande dät, oder ob des Flughafe worde sei. Was au des Ballett mache dät en Stuegert. Ob mir no Gugelhopf bachet, ond worom des Filderkraut spitzig sei. Ond ob en Stue-gert emmer no so viel Löcher wäret...

Dronternei amol hat se wisse wölle, ob mir den Spruch kennet uff'm Hölderlin seim Grabstoi. Daß onser Freund ond Landsmann Friedrich Hölderlin am 7. Juni 1843 gstorbe isch ond vergrabe uff'm alte Kirchhof z'Dibenge, des hend mr grad no gwißt, aber net sein Grabspruch. Sait no des scheene Mäd-le em schenschte US-Hochdeutsch:

»Im heiligsten der Stürme falle
Zusammen meine Kerkerwand,
Und herrlicher und freier walle
Mein Geist ins unbekannte Land.«

So ebbes. Do wisset en Wirteberg de Jonge bald nemme, wer der Hölderlin überhaupt isch. Ond so a jongs Amile neunahalbdausend Kilometer henter Dibenge drome woiß sogar, was uff dem seim Grab-stoi stoht. Oh, wenn des no dr Hölderlin hätt no verleabe dürfe.

A Seel vom a Mensche

Sie werdet den Hermann Scheufele net kenne aus
Ontertürkheim. Der isch anno 29 en dere schlechte
Zeit nüber nach Amerika. Hot eigentlich Mechani-
ker glernt ghet, aber des hend se seinerzeit koine
braucht en Kalifornie. No isch'r halt Moler worde.
Ond hot sei Sach so guet gmacht, daß'r bald sei
oigener Herr gwä isch. Ond des hot sich romgspro-
che mit dr Zeit, daß es beim Scheufele koin Bschiß
gibt ond koin Pfusch. Ond dui ganz Hottwollee vo
Hollywood isch sei Kondschaft worde. Ond do hot's
Leut dronter, die hend Geld wie Heu ond badet en
goldene Badzuber. Wenn die wölltet, könntet se
heut mittag no ganz Kaltetal uffkaufe ond hättet
emmer no a volls Bortmonnee.

Ond au die berühmte Kerle ond Menscher vom
Kino hend sich ihre Schlofzemmer tapeziere, ihre
Fensterläde streiche lasse vom Hermann Scheufele
aus Ontertürkheim. Koi Wonder, daß der's au zu

ebbes brocht hot. Aber no isch sei Frau krank worde
ond 25 Johr lang em Bett glege. Ond 25 Johr lang hot
der Hermann se selber pflegt, bis se gstorbe isch.
Ond isch koin Tag verbittert gwä.

Der Hermann isch Mitglied gwä em Schwabeve-
rei vo Los Angeles. Ond wenn mr bloß a Weile
mit'm gschwätzt hot, hot mr gmerkt, daß mr weit
laufe mueß, bis mr nomol so en feine Mensche
fendet, so a Seel vom a Mensche, so sonnig wie des
ganze Kalifornie. En vierzeh Tag geng'r nach Stue-
gert, er häb scho sein Flugschei kauft, hot'r zu mr
gsait. Ond hot sich gfreut uff drhoim ond daß'r en
Batsch kriegt vom jonge Rommel ond daß'r de
Necker seh därf ond de Roteberg. Ond er sei uff'm
Wase, wenn des Volksfest afangt.

Die ausdappte Gsichter vo dene viele teure Wahl-
plakat, die send älle doghockt zwische dene Bier-
zelt, ond en Haufe andre Leut, bloß koi Hermann
Scheufele. Drfür isch dr Erwin Beck komme, dr
Ehrepräsident vo dene Schwabe en Los Angeles.
Der isch aus Cannstatt, ond der hot's no gsait, daß
der Hermann zwoi Tag druff am a Herzschlag gstor-
be sei, mit 73. Ond nemme komme dät. Vielleicht
hot des so sei müeße, daß'r net gseh hot, was die
Calomes aus seiner Hoimet gmacht hend. Anderer-
seits sott mr moine: Uff dem Volksfest dappet so
viele Leut rom, do wär's doch uff den Hermann
Scheufele aus Los Angeles au nemme akomme.

D' Susan

Bei dere Steuben-Parade en New York goht's zue
wie früher en Stuegert beim Festzug zom Volksfest.
Älles, was krattle ka, kommt en dui Fifth Avenue
ond guckt zue, wenn die Gsangverei ond Turnverei,
Trachteverei ond Schützeverei, die Erzgebirgler,
Ostfriese, Hasebergtiroler ond dr Cannstatter
Volksfestverei, dr Edelweißclub, die Freimaurer
ond kadolische Studente ond hondertfuffzig andere
Verei vorbeimarschieret.

Desmol isch der Festzug bsonders schee gwä,
wege dere 200-Johr-Feier. Ond dreiahalb Stonde
lang. Denn en New York hot's weiter Deutsche wie
en Stuegert. Ond als Ehregäst send en ganze Haufe
Großkopfete drbeigwä, Senatore ond Gouverneur,
Oberbürgermoister ond Onderstaatssekretär, Diplo-
mate ond Ministerpräsidente. Ond die send älle uff
dere Honoratiorebank ghockt. Ond mittle dren, wie
a Sennerin zwische de Rendviecher, a blitzsaubers

blonds Mädle eme blaue Bleyleskloidle: d' Susan Ford, grad 19 Johr alt ond Präsidentetöchterle.

Bei ons wär so a Mädle mit some Vadder sicher a ganz eigebildete Dengere, a Mensch, a großartigs. Aber net dui Susan. Dui isch so herzlich gwä, so nadierlich, so lieb ond nett, ond hot's so guet könne mit de Leut. Ond wie se mir en Batsch gebe hot, hätt'e se am liebste eiglade nach Degerloch. Aber no isch mr grad no eigfalle, daß se jo no sicher au die siebe Kerle vom FBI mitbrenge dät mit ihre Sonne-brille ond dem Knopf em Ohr; die, wo Tag ond Nacht om des Mädle rom send. Des send Kerle wie Käste, ond die hättet gwieß morgnets zom Kaffee scho jeder drei Ripple ond zwei Schnitzel verdruckt.

Mit dr Susan hot mr schwätze könne. Wo denn Degerloch liege dät, hot d' Susan wisse wölle. (Bei Heidelberg.) Do sei's sicher arg schee, hot d' Susan gmoint. (Jo, ond doch sei's »nemme dees«.) Worom, hot d' Susan gfrogt. (Weil soviel Schlamper des Ländle mit äller Gewalt verhonzet.) Ob mr denn do nex drgege mache könnt? (Höchstens wenn ihr Vat-ter dene Brüeder amol de Ranze verschlage dät.) Se dät's ihm sage, hot d' Susan versproche.

Aber jetz isch erst nex, oh Heimatland, ausgrech-net jetz hot der Jimmy Carter gwonne. Ond bis der woiß, wo Degerloch liegt, drweil isch d'Katz voll da Bach na.

Chinäbisches III

Der international bekannte Schweizer Völkerkund-
ler Prof. H. Selwyle-Moine hat einen Ruf an die
Universität Peking angenommen und unlängst sei-
ne wissenschaftliche Arbeit am Lehrstuhl für Osi-
nologie aufgenommen. Der um die Erforschung der
Anfänge der Tung-Dynastie (begründet von Johann
C. Tung, geb. 1735 Bempflingen/Württ., gest. 1812
Peking/China) verdiente Gelehrte schildert in ei-
nem Brief seinen ehrenvollen Empfang beim Vorsit-
zenden Mao C. Tung:

»Unmittelbar nach meiner von zahllosen Kolle-
gen und Studenten besuchten Antrittsvorlesung
zum Thema *Die Reiche der Mitte – Schwaben und
China* lud mich der ob meiner Ausführungen tief
beeindruckte Große Vorsitzende zu einer Privatau-
dienz ein, der Folge leisten zu dürfen ich bereits am
nächsten Tage die Ehre hatte.

Mao C. Tung empfing mich an der Gartentüre

seines mit Hilfe der Bausparkasse Bod-Nang erstell-
ten Eigenheimes. Er trug einen Strohhut und eine
mehrfach geflickte, ehedem grüne Gärtnerschürze
und sprach: ›Fer-tsei-hong. I-will-blos-voll-mei-ne-
Brest-leng-tso-pfen. Gang-e-tse-no-nei-en-mei-Wo-
nong-on-tsi-tse-tse-na. I-komm-fei-glei-ond-breng-
en-Wei.‹

Nachdem ich an der Haustüre meine Schuhe
ausgezogen und gegen ein Paar Filzpantoffeln einge-
tauscht hatte, betrat ich das Wohnzimmer, in des-
sen Bücherwand mir sogleich eine Fülle schwäbi-
scher Erbauungsliteratur in die Augen fiel, darunter
die gesammelten Werke der Schwabenväter Beng-le
und Heg-le. Minuten später trat der Große Vorsit-
zende in tadellosem Mao-Look ein, setzte sich auf
sein Shäs-loo und öffnete eine Flasche Bempflinger
Mondhalde 1974er Spätlese.

Zu Beginn unseres in ausgesprochen harmoni-
scher Atmosphäre verlaufenen Gespräches gab mir
Mao C. Tung schlitzaugenzwinkernd eine neue De-
finition der Etymologie des Begriffes Politik, wo-
bei im Chinesischen Li = ohne und Tik = Hirn be-
deutet. Ausführlich berichtete er über seine Kin-
der- und Schulzeit, wo er ständig seines guten
schwäbischen Namens Tung und seiner schwäbi-
schen Gesichts- und Wesenszüge wegen gehänselt
und gefoppt worden sei. Auch wenn er dies nie als
Be-lei-di-gong empfunden habe, so habe er doch

gelegentlich zu dem altbewährten chinäbischen Hausmittel Hao-me-blao gegriffen.

Angesprochen auf seine Rolle in der Kulturrevolution betonte der Große Vorsitzende, er habe sich hierbei stets an die bewährte Maxime ›Was brauchet mir Konscht? Mir brauchet Grombiere!‹ gehalten. Nachdem wir schmunzelnd festgestellt hatten, daß in den Amtsstuben Chinas wie Schwabens zuvörderst dem ehrwürdigen Konfusius gehuldigt wird, äußerte Mao C. Tung die Absicht, anläßlich der 1250-Jahrfeier der Stadt Bempflingen im Jahre 1993 das Land seiner schwäbischen Ahnen zu besuchen, wo ja bekanntlich seit dem Thronverzicht König Wilhelms II. von Württemberg Angehörige einer Seitenlinie der Tung, die (Verunstal-)Tung, regieren.

Als ich dem Großen Vorsitzenden einige Bilder mit Beispielen zeitgenössischer Architektur in schwäbischen Residenzen (Degerloch, Stuttgart, Ludwigsburg) vorlegte, rief dieser erregt aus: ›Heilix-Ble-chle! Ha-so-ein-Ble-tsen! Di-Ba-chel-hen-tjo-koi-Ah-nong!‹ Und er meinte damit die Umweltverschmutzer unter den Architekten, wobei er diese Berufsbezeichnung so aussprach wie vornehme Leute das Wort China.

Unser so heiter begonnenes Gespräch endete, als Mao C. Tung seiner tiefen En-tei-schong Ausdruck verlieh, daß mit ihm das Geschlecht der Tung in

China auf seinem Zenit im Mannesstamm erlö-
sche, weil, so Mao, ›i-koin-go-tsi-ge-Jonge-hao‹ und
sein einziger Bruder im Jahre 1944 in das burgundi-
sche Kloster Noix-des-Glaubinettes eingetreten sei.
Was habe man von all dem ›Sha-phen-sha-phen-
Hei-sle-bao-en‹, wenn's eines schönen Tages doch
auf den Kirchhof gehe? Nie werde ich den Augen-
blick vergessen, da mir der Große Vorsitzende zum
Abschied die Hände reichte, Tränen in den Augen
und ein Zitat aus den Werken Beng-les auf den
Lippen: ›Was-hül-phe-es-dem-Men-shen, so-är-di-
gan-tse-Welt-ge-wö-ne-un-dnä-me-doch-Sha-den-an-
sei-ner-Sä-le‹.«

Seehond ond Sauhond

Gell, do send sich älle einig, daß des Sauhond send,
die Kerle, die wo en Kanada ond Grönland ond
dohobe rom die Seehond jaget ond dene Viechle en
Priegel über de Kopf schlaget ond 's Fell razieget
ond se leabig liege lasset, bis se voll verrecket. Ond
's isch a Schand, daß so Leut gibt, daß sich sotte
Kreature an dr Kreatur versendiget. Dene sottet
d'Fenger wegfriere bei ihrem Drecksgschäft ond dr
Rotz en d'Nas nei, dene Sauhond, dene elende. Oder
net?

Worom aber deant die Sauhond denn so ebbes? So
stompfsennig ond verkomme send die doch au net,
daß se des bloß aus Langeweil dätet ond zom Bass-
ledah.

Narr, die krieget en Haufe Geld drfür, für des
Metzgersgschäft. Ond wenn des Geld no so drecket
isch ond tropflet vor Bluet, stenke duet's net. Ond
den Metzgersloh, den krieget se vo so Kerle en feine

Azügle mit Krawatt ond Brilljante an de Fenger, ond die Kerle sehet aus wie ehrewerte Leut, ond die machet nomol en Haufe Geld mit dene gstohlene Pelz. Ond ganz zletzt no lauft des Seehondle wieder spaziere, ond 's steckt a Menschle dren.

Jetzt saget selber, wer isch schlemmer, dr Hehler oder dr Stehler, die Sauhond en Alaska oder des Seehondmensch en Stuegert? Koine fuffzich Gäul brächtet die Sauhond uff des Glatteis, wenn des Menschle koi so Omensch wär. Ond des Seehondle dürft bleibe, wo's naghairt, müeßt net uff dr König-stroß helfe zeige: »Herr, wer ben e!«

Des nemmt oin wonder, daß's dene Menscher en dene Mäntel net eiskalt de Buckel nalauft. Des mueß doch a Gfühl sei, wie wenn dreiazwanzich Ratte uff dr Haut romkrabblet. Wo doch jedes Menschle woiß, wie's dem Viechle gange isch. Ond des Gschroi möcht e au net haire, wenn so a Rau-bauz des Grönland mit Wirteberg verwechsle dät, ond dät uff d'Königstroß nastande ond schreie: »Guck au, hot dui amol en scheene Pelz!«, ond dät sein Priegel nemme, ond zack, ond den Mantel schnappe ond den Rest em Kandel liege lasse! Dät's mache wie die Sauhond mit de Seehond.

Arme Viecher, wenigstens ihr sottet zammehal-te, wenn scho die reiche Menscher net gscheiter send! Dutzedweis sottet d'Läus neihocke en die Pelz. Des hätt en Wert. Des wär schee.

Stauferle

Do gibt's gar koin Zweifel, wer der gscheitschte
Sohn vom schwäbische Volk isch, wo romlauft. Des
isch, seit dr Einstein nemme do isch, der Professor
Dr. Hansmartin Decker-Hauff vo dr Universität en
Dibenge. Also, gwieß wohr, der Ma, der ka schwät-
ze wie dr Caruso senge, ond woiß älles, der hot a
Hirn wie a Euter, do send mir andere älle Bachel
drgege, so gscheit isch der. Koi Wonder, der Profes-
sor isch a SpRößleng vom Herzog Carl Eugen ond
'me Degerlocher Bauremädle. Ond der Professor,
der hot's verzählt, daß die alte Degerlocher älle
Stauferle send. Ond des stoht älles dren en dere
Ahnetafel von dem Prinze Henrik von Dänemark.
Weil des, was dui dänisch Keeniche, dui Margret, do
zammegheiratet hot, des isch eigentlich a richtiger
Degerlocher. Ond jeder Taglöhner vo dr Kirchgaß
isch grad so adlich wie der. Denn der Henrik ond
älle andre alte Degerlocher, die send über die Grafe

von Wirteberg älle lauter Stauferenkele. Sollet also die Stuegerter ruhig von de Affe abstamme, die Degerlocher stammet von de Staufer ab. Vom Barbarossa ond so. Ehrlich wohr, mir Degerlocher.

Ond wenn die von dere Staufer-Ausstellung a bißle ebbes denkt hättet, no hättet se des ganz Sach do vom Alte Schloß nach Degerloch ruffgebe, wo's jo von Rechts wege naghairt, ond hättet's net wieder vertoilt, wo älles so schee beinander gwä wär.

Eigentlich schad, daß die Staufer nemme dra send, seit mr en Neapel dohonde dem Konradin de Kopf ragschlage hot. Aber selbichsmol hot mr halt ohne Kopf koi Politik meh mache könne. Ond wie mr onsern 27mol Urgroßvatter kennt, den zwoite Kaiser Friedrich, hätt der en 1000 Johr sei Degerloch net so verhonze lasse wie mir en zwanzich.

Denn wenn mr sich des Elend agucke mueß, wie aus dem scheene Wengerter- ond Baurenest, dem »Höhenluftkurort Degerloch«, a »stadtbezirkliches Gemeinwesen Stuttgart 70« worde isch, no könnt mr grad losheule ond mit dem deutschen Dichter sprechen: »Denk ich an Degerloch in der Nacht, dann bin ich um den Schlaf gebracht.« Aber wenn ons die Oberbetonierer onsere scheene Wiese, Wälder ond Felder, voll älles nemmet – ois könnet se ons net nemme: onser staufische Abstammung.

Ond wenn ame scheene Tag amol dr Kaiser Friedrich aus'm Kyffhäuser kommt, no goht'r zerscht zu seine Degerlocher ond trenkt sein Mooscht ond ißt sein Schwartemage. Ond wenn'r gvespert hot, no goht'r gradeswegs nach Stuegert na ond hängt älle dene Granadasempel 's Kreuz aus, die wo aus seim staufisch-schwäbische Ländle so a staubich-schwäfeliches Ländle gmacht hend.

Glotz & Motz

Drsell isch koi Dommer gwä, wo des gsait hot, daß a Leichezug em Oberland relativ lustiger sei wie der Karnevalsomzug en Stuegert. Ond drom isch des au gar net domm, daß des Verkehrsamt jetzt verzweifelt drnoch guckt, daß des Dengs do a bißle lustiger wird, des »Stuttgart – wie es glotzt und motzt«. Ond wenn Sie je a Ideele hättet, no saget Se's dene no, Sie machet sich saumäßig om dui Vatterstadt verdient.

Des Schenste an dem ganze omegliche Omzug seither isch doch gwä, daß mr henterher so schee hot schempfe könne, daß älles so langweilig, so trübsennig gwä sei. Oder fendet Sie des vielleicht lustig, wenn die vornehme Fasnetsfunktionär mit ihre glänziche Gockelerskäpple »Tschä Hoi!« schreiet ond »Helau« ond dauernd vor ihre verschlofene Gsichter romfuchtlet, als wölltet se a Brettle uff d'Seite schiebe? Die ganze Goldfasane

mit ihrem Kommando-Hurra, die send doch eher lächerlich als zom Lache.

Ond die arme, arme Mädle, wo do stondelang en Stuegert uff dene Stroße romstampfe müeßet, stiefelsdick mit Schuehwichse agschmiert, daß se net so frieret. Daß do koi Gwerkschaft ebbes sait!? Ond isch des net traurich gnueg uff dere Welt, daß d'Kerle marschieret, jetzt deant's au no d'Weibsbilder. Ond dees an dr Fasnet. Ond wenn mr gar die primitiefsinnige Sprüchle liest uff dene teure Festwäge, no könnt' mr doch grad heule, weil's scheints nemme so weit her isch mit dem Geischt hierzulande, seit dr Schiller en Weimar, dr Hegel en Berlin ond dr Mörike au fort isch. Oi gotzicher Narr en Rottweil oder Waldshut oder Zipfelhause, der macht oim doch weiter Freud wie älle die Elferrät ond Zwölfender en Stuegert en ihre uffbügelte Kittel ond Hösle mitnander. Es sei denn, mr dät sich freue, daß so viele von dene so guet über de Wenter komme send.

Also gell, liebe Leut, strenget Euch a ond brenget Eure Ideele dutzedweis zom Verkehrsamt! Die send gottfroh om jedes Späßle. Denn wenn dene Narrete wieder nix Gscheiters eifällt wie »Helau!« schreie ond ihr gschniegelts Gwand herzeige, no hot der große, aber schwäbische Kulturphilosoph Carl Friedrich Freiherr von Fröschle aus Beutelsbach doch recht, wenn er in Band VII seines Werkes »Der

Untergang des Schwabenlandes« schreibt: »Der Carneval in Stuttgart hat die integrierte Bodenständigkeit der Schuhplattlergruppe von Castrop-Rauxel und den funktionalen Charme des ostfriesischen Jodlerduos ›Enzian‹. Der Carneval paßt zu Stuttgart wie zwei Warzen ins Gsicht von der Brigitte Bardot.«

A bißle weiter dronte, em Oberland, do send se richtig, die Warze ond dui Fasnet, ond machet a Freud. En Stuegert aber isch's a reigschmeckte, a verzwongene Sach wie eh ond je. Grad wie wenn Neureiche uff Kultur machet. Noi, no nex narrets, lieber wieder en gscheite Volksfestomzug. Des isch emmer schee gwä: Bleamle statt Konfetti.

Wirtemberg

Seitmrkoinkeenichmaihenischsnexmai.

*König Wilhelm II. von Württemberg (1848–1921)
mit seinen Enkeln*

Keenichs Geburtstag

Jetzt send des au scho wieder 130 Johr her, daß dr
Keenich uff d'Welt komme isch. Am 25. Februar, en
Stuegert em Prinzebau am Schillerplatz. A Achte-
vierzger isch'r also gwä, onser Keenich, dr Wilhelm,
dr Zwoite, dr Beschte. A gueter Johrgang. Anno 91
isch sei Onkel, dr Keenich Karl, gstorbe. Der isch
mit'm Zare seire Jonge, dr Olga, gheirat gwä, so're
eiskalte Majestät, so kalt wie des Rußland, wo se
her gwä isch. Ond nix Bessers hend die zwoi für
Wirteberg gar net do könne, wie koine Kender
kriege.

Ond wege dorom isch dr Wilhelm Keenich wor-
de. Ond was für oiner! Des därf mr ruhig sage, so en
herzensguete, gscheite, so en aständige, feine Ma,
wie des oiner gwä isch, so oin hend mir vorher koin
ghet – ond krieget mir au nie wieder oin, jedefall.
Des isch so a Hauptkerle gwä, daß sogar die wirte-
bergische Sozialdemokrate gsait hend, sie wißtet

koin Bessre für des Gschäft wie dr Keenich Wilhelm.

Ond sei Leibspeis isch Schützewurst gwä mit Grombieresalat. Ond uff dr Stroß isch'r spazieregange, ganz alloi mit seine zwoi Spitzerhondle, ond d'Leut hend gsait »Grüß Gott, Herr Keenich!« Ond er hot au »Grüß Gott!« gsait ond sein Huet glupft ond isch anegloffe. Ond dr David vo Dibenge, der Gog, isch grad so sei Freund gwä wie dr Karle vo Freudestadt ond dr Eugen vo Bopfenge ond dr Gustav vo Rottweil ond dr Fritz vo Sielmeng. Ond dr Ludwig Thoma isch sei Freund gwä. En Berlin hend se den wege Majestätsbeleidigung eikastlet, en Stuegert aber hot dr Keenich mit'm gvespert. Ond dr Wilhelm isch au dr erste Keenich vo dr ganze Welt, wo gfloge isch, em Juli 1908 mit seim Freund Graf Zeppelin. Ond's Theater hot'r möge mit dem Baron Putlitz. Ond der hot koin Gruscht gspielt, der hot Strindberg gspielt ond Wedekind ond Gorki (!) ond woiß net was älles an dem Hoftheater (!), sogar Ibsen.

Ond no hend se anno '14 de Krieg agfange, die Schlurger, die verkommene. Ond dr Keenich hot em Hof von dr Rotebühlkasern Ade gsait zu seine wirtebergische Soldate ond hot gheult. Ond anno '18 hend a paar scheints vergesse ghet, was dr Wilhelm für a aständiger Ma isch, ond hend behauptet, em Wilhelmspalais seiet Lebensmittel ond Gwehr ver-

steckt. D'Palastwach hot nex do därfe, wege ihm
därf koi Bluet vergosse werde, hot dr Keenich gsait.
Die Kerle hend des Haus gstürmt ond älle Stubene
vo dr Behne bis zom Keller durchgstiert ond koi
gotziche Patron gfonde. Ond dr Wilhelm hot koi
Extrawurscht ghet en dr Speisekammer. Ond no
isch dr Keenich vo Stuegert weg ond uff Bebehause
gange ond nie meh komme. Ond seither isch Stue-
gert koi Residenzstadt meh. Ond, onter ons, drnoch
sieht se jetz au aus...

Am 30. November 1918 hot dr Keenich seine
Wirteberger gsait: »Wie ich schon erklärt, soll mei-
ne Person niemals ein Hindernis sein für die freie
Entwicklung der Verhältnisse des Landes und des-
sen Wohlergehen. Geleitet von diesem Gedanken,
lege ich mit dem heutigen Tage meine Krone nie-
der. Allen, die mir in 27 Jahren treu gedient oder
mir sonst Gutes erwiesen haben, ...danke ich aus
Herzensgrund, und erst mit meinem letzten Atem-
zug wird meine Liebe zur teuren Heimat und ihrem
Volke erlöschen. Gott segne, behüte und schütze
unser geliebtes Württemberg in alle Zukunft! Dies
ist mein Scheidegruß.«

Am 2. Oktober 1921 isch dr Keenich en Bebehau-
se gstorbe, ond om Stuegert rom hot mr'n uff Lud-
wigsburg gführt, ond dort uff'm alte Kirchhof hot'r
äll des Elend verschlofe, was sei Wirteberg seither
hot leide müeße.

Intelligenzbestien

Also, Ihr könnet sage, was'r wöllet, aber des isch gwieß wohr, daß d'Viecher gscheiter send wie d'Leut. Viel gscheiter. Oder hend Ihr scho amol a »daube Henne« mit'me Zigarettle romlaufe sehe? Oder en »domme Ochse« mit're Krawatt? Hot's uff dere Welt jemols »elende Wildsäu« gebe, wo mit de Auto raset ond anander hehmachet? Oder gibt's bei dene »saudomme Rendviecher« vielleicht Finanzämter, Kaserne ond Zuchthäuser? Hend die »Rhinozeros« scho amol en Krieg agfange? Werdet »Lama« au Politiker? Dätet »Halbdackel« au ihr Hoimet verhonze? Ziegt sich a »bleede Gans« en Leopardemantel a? Bscheißet »doofe Kamel« ond »Goiße« au anander? Ond isch oi so a »daube Sau« au so wüest zu dr andre? Noi, noi, d'Viecher send tatsächlich gscheiter wie d'Leut, ond do ghört jo au net viel drzue, ond wer's net glaubt, der isch a Esel.

Gucket doch her, der Gockeler uff'm Degerlocher

Kirchturm, der verrotet des Wetter emmer no besser wie die neumodische Radio! Ond die Gäul mit ihre große Köpf, was send dees für gscheite Denger gwä! Do hend früher die Baure ond Botte vo de Fildre ond vom Scheebuch noo so bsoffe sei könne vom »Degerlocher Champagner«, die send bloß uff de Karre nuffgstrackt, ond ihre Gäul hend de Weg alloi hoimgfonde uff Häfner-Neuhause oder Waldebuch oder Bolande, bis vor's Hoftor na. Gscheite Viecher. Ond die echte Rendviecher hend en Degerloch en tausend Johr net soviel Mist baut wie die jetzt en de letzte zeh.

Ond d'Katze send erst gscheit en Degerloch! Em Krieg hend mir oine ghet, wenn dui sich putzt hot wie narrisch ond gfaucht ond kratzt, no hot fenf Minute später scho d'Sirene do ond send Flieger komme. Do hot mr könne druff gange. En Freiburg, do isch's a Enterich gwä, der hot so arg gschnattert, daß d'Leut en Keller gspronge ond drvokomme send. Der hot sogar a Denkmal kriegt. Jetzt dui Katz vo Degerloch, dui isch am a scheene Tag nemme do gwä, ond älles Sueche hot koin Wert ghet. Dui isch spurlos verschwonde, bis vor a paar Johr ebber verrote hot, daß dui Katz oiner gmetzget häb, ond der häb sogar no onser Brateskachel vertlehnt drfür. Des isch aber koi Degerlocher gwä, der Katzefresser, des isch a Reigschmeckter gwä. Woher sag i net. Sonst send dia Mairenger wieder sauer.

Dr Carl Herzich

Vo dene Leut, wo wirklich uff dene Bänk am Schloßplatz hocket ond des Neue Schloß agucket, woiß kaum no oiner, wer des überhaupt baut hot. Ond des isch a Fehler. Des isch dr Herzog Carl Eugen gwä, der isch 1728 uff d'Welt komme en Brüssel. Sei Vatter isch dr Carl Alexander gwä, wo kadolisch worde isch ond gege die Türke kämpft hot. Sei Mueter isch oine gwä aus dere Briefträgersfamilie Thurn ond Taxis, net arg nobel, aber Geld wie Heu, also grad richtig für en Wirteberger. Ond der Prinz Eugen, der edle Ritter, des isch sei Döte gwä.

Grad nei Johr alt isch der Bue gwä, do isch sei Vatter gstorbe. De oine saget vergiftet, de andere, er sei ame Sofakisse verstickt, nix gwieß woiß mr net. Ond no hot'n dr Friedrich dr Große uffzoge, dohobe en Potsdam, der hot jo selber koine Kender ghet. Ond dr alte Fritz hot zu dem jonge Karle gsait: »Glauben Sie nicht, daß Wirtemberg für Sie da sei.

Seien Sie vielmehr überzeugt, daß die Vorsehung
Sie in die Welt kommen ließ, um Ihr Volk glücklich
zu machen. Setzen Sie daher stets sein Wohlerge-
hen höher als Ihre Vergnügungen.«

Aber wie der jonge Spritzer mit 16 Herzog worde
isch, hot der des älles vergesse ghet ond isch a
Sauigel worde wie em Bilderbuch. Ond mit 19 hot'r
gheiratet, a Nichte vom alte Fritz, ond zu dere
isch'r grad so wüescht gwä wie zu seine Wirteber-
ger. Guet, do dät mr jo gar nex sage, dene Preiße
ghairts et anders. Aber daß'r zu seine Wirteberger
au so gwä isch! Der Denger hot doch partu sei
Versailles han wölle am Necker ond hot Geld
nausgschmisse für Lompegruscht ond gern Soldä-
terles gspielt ond a Luederlebe gführt ond ander
Leut ihr Sach verputzt. Ond wer ebbes gege dui
Sauerei gsait hot, den hot'r uff de Asperg gsperrt.

A Allmachtsgwaltigel isch'r gwä, der Herzog Carl
Eugen, sei Weib isch'm drvogloffe, ond d'Leut wä-
ret'm lieber heut no wie morge uff d'Leich gange.
Aber no hot dr liebe Heiland seine Wirteberger au
amol wieder ebbes Guets do wölle ond hot dem
Carl Eugen als Mätress Nr. 2953 – oder 2983? So
genau hot's dr Herzog net zählt– a bsonders Mädle,
en Engel därf mr sage, gschickt. Denn des was für
Frankreich dui Jungfrau von Orléans, des isch für
Wirteberg dui Franziska vo Hoheheim. Des isch so
a liebe ond scheene, a herzensguete Denge gwä, daß

Herzog Carl Eugen von Württemberg (1728–1793)

der Kerle en Affe an dere gfresse hot. Ond dui Franziska isch selber oglücklich verheiratet, verkupplet gwä ond hot scheints gwißt, wie mr so en Burscht en Stiefel neikriegt. Ond an seim 50. Geburtstag hot dr Carl Eugen von älle Kanzle ra verlese lasse, er sei a Schlamper gwä ond a Saukerle, aber er sei halt au bloß a Mensch, ond er wöllt's jetzt besser mache ond's soll nemme vorkomme. Des hot der gsait. Anno 1778. So ebbes geits au bloß en Wirteberg.

Ond mit dr Zeit hot dr Carl Eugen au glernt, daß Schmalz em Hirn wichtiger isch wie an de Ärmel oder em Kraut. Ond hot en Stuegert dui Hohe Karlsschule nagstellt, ond des isch de best Universität gwä von dr ganze Welt ond send bloß gscheite Köpf neigange, so wie dr Schiller. Ond vo dere Schuel frißt Wirteberg heut no ra. Ond dr Herzog isch mit seire Franziska uff Hoheheim zoge und hot dort glebt wie a Bauer ond hot Küeh gmolke ond Korn gsät ond Kraut gsetzt, wie's dr Rousseau gsait hot. Ond uff Stuegert isch'r bloß no nagange ens Gschäft. Ond mit dene Leut vo de Fildere hot'r sich so guet verstande, daß die heut no vom alte »Carl Herzich« schwärmet: »Der Karle, des isch au no a Kerle gwä, der hot koin Flughafe braucht.« (Zitat aus Plieningen.) Ond wie dem Herzog sei Weib gstorbe gwä isch, no hot sogar dr Papst »jo« gsait, daß'r d'Franziska heirate därf; dui isch jo evangelisch gwä ond gschiede, ond dr Carl Eugen kadolisch. Ond em achte Johr send se gheirat gwä, do hat anno 1793 dr Tod den Herzog pensioniert mit 65, ond sei »Franzel« isch drbeigstande wie'r zletzt no gsait hot: »Sterben ist kein Kinderspiel.«

Mr soll dene Schlurger nex glaube, wo über den fleißige, geniale Ma herzieget, hot dr Schiller selber gsait. Ond die Stuegerter danket'm 's Neue Schloß, Hoheheim ond d'Solitude – ond daß se Hauptstadt send statt Ludwigsburg. Ond für die Degerlocher isch'r a echter Landesvater gwä, dr Urehne Carl Eugen. Der hot no Bürgernähe praktiziert ond ebbes do für d'Bevölkerungsstatistik. Jetz die Kerle heutzutag, die schlofet doch bloß no en ihre Amtsstube.

Des Luisle vo Plattehardt

Früher, wo d'Leut no gscheiter gwä send, hot a jeder Schuelerbue gwißt, wer 's Luisle isch, 's Luisle Rau vo Plattehardt. Jetz frog heut wieder, wer se kennt!?

Ihr Vatter isch Pfarrer gwä en dem Dorf mit dene viele Wilderer ond Messerstecher. Ond wie der Ma anno 1829 gstorbe isch, hend se en Vikar nach Plattehardt gschickt, ond der isch no koine 25 Johr alt gwä ond hot Eduard Mörike ghoiße. Ond dem hot des Pfarrersmädle scho glei so saumäßig gfalle ond isch ganz aus'm Häusle gwä vo dere. Ond jetz grad vor hondertfuffzich Johr, am 14. August 1829, hot 'r sich verlobt mit dem Luisle Rau. Ond isch richtig selig gwä ond hot so feine Versle gmacht en dere Zeit ond Brief gschriebe, so scheene fendet mr sonst gar nemme.

Bildle gibt 's jo koi gscheits von dem Luisle, aber wenn se some Kerle wie em Mörike gfalle hot, no mueß se scho äbbes rechts ond a saubere Krott gwä

Luise Rau (1806–1891)

sei. Ond wien 'r später Vikar gwä isch en Owen en dere Kirch, wo die alte Herzög von Teck dren vergrabe lieget, do hot 'r an dem Altarbild, wo jetz au no do isch, gmoint, dui Sancta Lucia do druff, dui dät aussehe wie sei Schatz vo Plattehardt. Ond wenn des stemmt, no därf mr 's glaube, daß des »das süßeste Glück seines Lebens« gwä isch.

Fast vier Johr isch des gange, daß se mitnander gange send, ond des Luisle wär no halt au gern gheirat gwä, scho wege de Leut, ond er hätt 's jedefalls au do, aber vo dr Osterblichkeit ka mr net rafresse, no viel weniger Weib ond Kender verhalte.

Ond a bißle a Dagdieb isch der Eduard halt doch au
gwä. Ond sui vielleicht au net ganz so gscheit wie
er. Ond no isch 's halt ame scheene Dag aus gwä
zwische dene zwoi. Worom genau, woiß neamerts,
sui hot nie äbbes verzählt, ond er hot au sei Maul
ghalte. Bloß des Versle hot 'r gmacht:

Das verlassene Mägdlein

Früh, wann die Hähne krähn,
Eh' die Sternlein verschwinden,
Muß ich am Herde stehn,
Muß Feuer zünden.

Schön ist der Flammen Schein,
Es springen die Funken;
Ich schaue so drein,
In Leid versunken.

Plötzlich, da kommt es mir,
Treuloser Knabe,
Daß ich die Nacht von dir
Geträumet habe.

Träne auf Träne dann
Stürzet hernieder;
So kommt der Tag heran –
O ging' er wieder!

Erst fast mit fuffzich hot dr Eduard doch no oine
gheiratet, ond sogar au no a Kadolische, aber isch

net arg selig gwä mit dere. Ond hot oft an des Luisle denke müeße. Ond dui hot au no ewig ond a Weile gwartet mit 'm Hochzichmache. Ond hot no den Pfarrer Schall gnomme ond isch glücklich gwä ond zfriede, ond der hot sei Sach gschafft ond en rechte Zahltag hoimbrocht.

Ond wie der Eduard Mörike gstorbe isch, isch 'r uff de Pragfriedhof komme, ond d' Stadt ond au d' Leut gucket scho druff, daß des Grab äbbes gleich- sieht. Ond em Sommer isch eigentlich emmer a Sträußle druff.

Jetzt aber 's Luisle, dui liegt uff 'm Fangelsbach- kirchhof, ond ihr Grabstoi isch so verwittert, daß wer 's net woiß, des nemme lese ka. Ond grad no zwoi Leut stellet dronternei no a paar Bleamle uff des Grab. Ond wer 's ander isch, koi Ahnong. Viel- leicht daß se öfters amol a Sträußle kriege dät, wenn d' Leut wüßtet, wo des Luisle liegt? Also: Onte am Haupteigang rei ond den Weg – am Schil- ler seim Jonge vorbei – gradaus nom, ond no net den broite Weg nuff de Buckel, sondern no sechs Gräber weiterlaufe, bis a Baum ond a schmals Wegle kommt. Des nuff, ond no isch 's glei 's fenfte Grab von onte. Fällt direkt uff, weil dromrom lauter so scheene Bleamle send.

Vielleicht sott mr des Luisle au oifach uff de Pragfriedhof lege, no wäret die zwoi wenigstens em Dod beinander.

Dr David

Dr David isch wieder do, dr David vo San Francisco.
Der isch jetz neunzig Johr alt worde ond isch anno
1889 uff d' Welt komme en Degerloch en dem
Baurehaus, wo d' Echterdenger Stroß ond d' Mairen-
ger Stroß ausananderganget. Isch aber koi Bauer
worde wie sei Vatter ond sei Ehne ond älle drvor,
noi, dr David hot Bäck glernt ond Konditer ond
isch fort vo dene Degerlöcher. Isch uff a Schiff gange
als Schiffsbäck ond Koch ond hot de ganz Welt
gsehe, vo Shanghai bis Kapstadt, vo Yokohama bis
Rio de Janeiro.

Ond wie sei Schiff en Seattle em Hafe glege isch,
hot dr erste Krieg grad agfange, ond no hend die
Ami den David samt seine Kamerade interniert ond
eigsperrt. Aber hell, wie der David isch, isch der aus
dem Lager abghaue ond hot a Lebe gführt, so omeg-
lich, daß des für fenf Büecher lange dät, ond no wär
emmer no net älles verzählt. Hot Schnee gschippt

en Montana ond Eisebahne baut en Texas, hot Teller gwäsche en Oregon, Viecher ghüetet en Arizona ond Baumwolle zopft en Alabama. Ond em Gfängnis isch'r au gwä dronternei, wenn 'r wieder amol beim Schwarzfahre verwischt worde isch onder dene Eisebahwäge, wie dr Charlie Chaplin als Tramp.

Ond isch mit Kerle aus äller Herre Länder zemmetroffe, ond do send Denger dronter gwä, die hättet dr wege me Riebel Brot de Krage romdreht ond wege 50 Cent a Loch en Bauch neigschosse. Ond a mancher vo dene Kerle isch onter d' Räder komme ond uff dr Strecke bliebe, isch verschnapst oder hot sich vor lauter Verzweiflong em Mississippi versäuft. Aber net dr David. Ond worom? Zwoi Sache häbet 'm emmer ond überall durchgholfe: jeden Morgen bete ond rasiere.

Ond no isch dr Krieg au voll romgange, ond dr David isch drübe bliebe ond nach Kalifornie zoge ond hot sein Schatz nüberkomme lasse, sei Rösle aus Ehninge em Gäu. Dui hot siebe Johr uff'n gwartet ghet, wege dem gschissene Krieg, ond se hend no glei gheiratet. Ond dr David hot wieder als Bäck gschafft ond a Häusle baut en San Francisco ond vier Kender großzoge. Ond hot älle ebbes rechts werde lasse, Professer ond so.

Ond no isch wieder Krieg gwä, Pearl Harbor, Normandie, Hiroshima. Ond no isch sei Rösle gstorbe ond hot ihr Ehninge nemme gsehe. Ond no hot dr David nomol gheiratet, a richtigs Amiweible desmol wie die vorem Heidelberger Schloß mit gfärbte Hoor ond Sonnebrill ond agschmierte Lippe. Ond Zigarettle. Ond drom isch dui au net alt worde, ond dr David isch wieder Witwer gwä.

Ond lebt jetz alloi en seim Häusle uff dene Bükkel am Pazifik, ond seine Stubene sehet aus, wie wenn se en Degerloch wäret. Bloß daß älles Sach mit Draht festbonde isch wege dene Erdbebe. Sogar sein Reservistekrug hot 'r no dostande vo seire Zeit als Dragoner en Ludwigsburg.

Ond sonntigs isch 'r älleweil en dere Lutherische Kirch vo San Francisco ond woiß no 's ganz Gsangbuech auswendig. Ond seit 'r 85 isch, goht 'r en d' Volkshochschuel ond lernt Spanisch ond hockt onter lauter jonge Mädle ond Kerle. Des lernt 'r, weil 'r nämlich ein ond jeden Sommer nach Südamerika fahrt mit seine 90 Johr. Ond do reist 'r mutterseelealloi durch den Urwald mit Omnebus und Eisebah ond per Ahalter, ond grad daß 'r dronternei a Postkart schreibt an seine Kender, daß die wenigstens wisset, daß 'r no lebt. Ond wenn 'r moint, er häb gnueg gsehe, no goht 'r wieder hoim ond lernt wieder Spanisch.

Vor a paar Johr isch 'r en Managua gwä, en Nicaragua, ond hot ganz arg Schmerze kriegt, daß 'r gmoint hot, jetz gang's aus, ond hot sich en de nächste Flieger neigsetzt ond isch hoimgfloge. Ond isch kaum wieder en seire Stub ghockt, no hot 'r em Fernsehe gsehe, daß dui Stadt beim Erdbebe zemmegfalle isch. 's Johr druff isch 'r wieder dort na, ond sei Hotel isch nemme dogstande, ond es seiet älle andre Leut en dem Haus oms Lebe komme.

Ob'r's glaubet oder net, aber en San Francisco hangt no dem David sei Konfirmandespruch vo 1903 an dr Wand: »Es sollen wohl Berge weichen und Hügel hinfallen, aber meine Gnade soll nicht von dir weichen, und der Bund meines Friedens soll nicht hinfallen, spricht der Herr, dein Erbarmer.« (Jesaja 54,10)

Comparatio suevica

gscheit
gscheiter
gscheitert

Arms Degerloch!

Für des freie Volk der Schweizer isch des dr Nationalfeiertag, dr 1. August; für des geknechtete Volk der Degerlocher isch's dr Nationaltrauertag. Vor siebzig Johr, am 1. August 1908, hot des Dorf Degerloch a. d. Fildern, Oberamt Stuttgart, sei Selbständigkeit, Freiheit ond Oabhängigkeit verlore ond isch vo dene Stuegerter eigmeindet, kassiert worde. Ond justament vo dem Tag a hot des Elend agfange, Schlag uff Schlag: Am 5. August 1908 fliegt dr Zeppelin no quietschfidel über Degerloch ond verbrennt bei Echterdenge. 1909 bricht d'Maul- ond Klaueseuch aus, 1910 verhagelts 's ganze Moschtobst, 1911 kommt d'Rotfäule en de Degerlocher Wald ond 1912 d'Reblaus en d'Wengert. 1913 schneidet der (Stuttgart-)Degerlocher Hauptlehrer W. seim Weib ond seine vier Kender d'Gurgel durch ond fahrt ens Enztal nom ond will dort a ganz Dorf azende ond brengt nomol nei Leut om. Em Johr

1914 hot dr erste Krieg agfange, ond wie der aus gwä isch, isch dr Keenich gange, ond no isch Versailles komme ond d'Inflatio ond dr Schwarze Freitag, ond die braune Schlurger send komme ond hend mit äller Welt Händel agfange. Ond anno 45, em April, hot Stuegert kapituliert en Degerloch, em Gasthof »Ritter«, den wo se jetzt abreiße wöllet.

Aber no ischs mit dem Elend emmer no net aus gwä, em Gegeteil. So schlemm isch des ganze Degerloch em erste Krieg ond em zwoite mitnander net verhonzt worde wie in dene Johr seither: Do bauet die Bachel Bunker nei, wie wenn Degerloch am Westwall liege dät; ond betonieret voll die scheene Wiese ond Wengert, die Wälder ond Felder zue, die Grasdackel; ond statt de Obstbäum blüeht bald bloß no d'Spekulatio. Bloß guet, daß des Elend nemme Degerloch, daß des jetzt »Stuttgart 70« hoißt.

Drbei isch Degerloch amol »Höhenluftkurort« gwä. Ond net omsonst hot der Werner von Siemens, der Elektrisch, sei Sommervilla uff Degerloch baut, en des Filder-Acapulco. Dui Luft isch ihr Geld wert gwä, ond d'Leut send gsond gwä, ond do hot oi Dokter glangt ond oi Apothek für de ganze Flecke. Ond wenn's viel isch, no hot's oi Leich gebe em ganze Monat, so gsond hot sichs glebt en dere frische, freie Luft vo Degerloch. Aber wie no die Stuegerter komme send, wisset'r, was die als erstes

do hend en Degerloch? En Kirchhof hend se aglegt,
den Waldfriedhof. Des sait doch älles...

Ond 37 Wirtschafte hot's en Degerloch ghet ond
bloß oin Bolezeidiener, ond der hot nex zum Schaffe
ghet: Die Eigeborene send älle aständig gwä. Ond
vor jedem Haus isch no a Bank gstande ond no net
en fast jedem Haus oine dren gwä. Ond die Degerlo-
cher Kerle sind no koine so nervöse Kasper gwä,
send em Sommer Indianer gwä ond em Wenter
Eskimo. Ond die Degerlocher Mädle erst, was send
dees für blitzsaubere ond scheene Dengerne gwä
anno 1908 en dere guete Degerlocher Luft! Ond
jetz, guck se nach siebzig Johr Stuegert wieder a:
ronzlig, alt ond graue Hoor, also noi, oh Heimat-
land, arms Degerloch!

No nex narrets!

Des isch saumäßig nett, daß mir heut wieder en Karnevalsomzug en Stuegert hend. Ond do ka mr gar net gnueg Dankschee sage, daß do onser arme Stadt extra 80 000 Mark drfür zahlt, denn des Geld, des isch net nausgschmisse. Erstens verbrauchet die viele Leut, wo an dr Stroß standet, en dene paar Stonde scho koi Benzin oder Klopapier oder Wäschpulver oder was woiß i. Ond zwoitens machet die, wo aus'm Fenster gucket, hauptsächlich em Rathaus, en dere Zeit scho sonst koin Bleedsenn.

Aber net bloß d'Stadt, noi, au die vo Bonn ond vo dr Krankekass sottet zu dem Spekdackel ruhig au äbbes druffzahle. Denn der Ufftrieb en Stuegert isch von jeher »ein freiwilliger Beitrag zum Arzneimittelkostendämpfungsgesetz der Bundesregierung« gwä, weil älle, wo do zugucket, garantiert a paar Dag koine Schloftablette meh brauchet. Ond au der Muet ond dui Tapferkeit sottet honoriert werde,

daß sich die Narrete vo Stuegert mit ihrem halble-
bige Karnevalsmischmasch überhaupt an de frisch
Luft trauet, wo doch a jeder woiß, wie schee a
gscheite schwäbische Fasnet em Oberland isch.

Vielleicht wär's net ganz so schlemm en Stue-
gert, wenn wenigstens die langweilige, uffblosene
Karnevalsfunktionär en ihre vornehme Smokingle
drhoimbleibe dätet. Aber des kapieret die nie mit
ihrer defizitäre Intelligenz onter dene Gockelers-
kappe. Do müeßt scho a Wasserwerfer vo dr Bolezei
die Kerle mit ihre verschlofene Xichter von dene
Festwäge ronterblose. Rechtlich wär des sogar zu-
lässig, denn der Omzug soll jo »eine Demonstration
des Frohsinns und der Heiterkeit« sei. Ond sonst
hoißt's jo au emmer: »Was brauchet die demon-
striere? Die sollet äbbes schaffe!«

Ond vielleicht solltet die arme Mädle, wo do
mitmarschieret mit Röckle, wo kaum 's Ärschle
zuedecket, älle a Paar lange, wollene Onderhose
aziege, daß se nemme so frieret. Des dät au ganz
witzig aussehe, uff jeden Fall besser wie die blau-
gfrorene Füeß, wo mr vor lauter Mitleid emmer
ganz melancholisch wird.

Ond des wär au koi Fehler, wenn dui Prominenz
aus dr Politik bei dem Festzug mitfahre dät. Denn
wenn mr sich scho 's ganze Johr über die Herre
ärgre mueß, no sott mr wenigstens an der Fasnet a
Freud an en han. Der Herr Mayer-Vorfelder bei-

spielsweis, der isch vor a paar Johr scho amol mit-
gfahre bei dem Omzug als VfB-Präsident, aber des
isch net grad direkt witzig gwä, ka mr sage. Aber
wenn der jetzt mitfahrt, der als Kultusminister, des
isch jo echt a Witz. Ond, onter ons, i han selte so
glacht, wie do, wo dr Herr Rommel 's erstemol so a
lustigs Karnevalskäpple uff 'm Kopf ghet hot. Do
dädet sicher no meh drüber lache, wenn'r des no-
mol macht. Ond was wär des erst für a Jubel, wenn
dr Herr Späth mitfahre dät ond dät bloß emmer
»Helau!« schreie. No müeßt 'r de Leut au mol seine
Zäh zeige, denn sonst macht der jo nie 's Maul uff;
wenn'r schwätzt, hot der emmer a Göschle wie a
Sparkässlesschlitz.

Ond erst wenn dem Lothar Späth sei Vorgänger
uff some Wage hocke dät – was wär des für a Freud
bei dene Gucker! 57,9 Prozent von dene dätet sich
über 's Wiedersehe freue – ond dr Rest dodrüber,
daß se den scho so lang nemme gseh hend...

Aber au a normaler Bürger ka äbbes beitrage
»zum Gelingen des Höhepunkts der närrischen
Kampagne«. Wie wär's, wenn mr die Festwäge vor-
her mit a paar Tropfe Melissegeist befeuchte dät,
damit wenigstens a bißle Geist bei dem Omzug
mitfahrt?

Heilige Elisabeth von Tilman Riemenschneider (1492)

Dui heilig Elisabeth

Au wenn mir Wirteberger mittlerweil seit 447 Johr
evangelisch send, sott mr oineweg an dui heilig
Elisabeth denke, wo vor 750 Johr gstorbe isch.
Denn abgsehe dodrvo, daß se ois vo de liebste
Weibsbilder vo dr Weltgschicht isch, isch se au
onser Urahne. Worom, des kommt weiter onte.

Anno 1207 isch se en Ungarn uff d'Welt komme,
ond ihr Vatter isch dene ihr Keenich gwä, Andre-
as II. hot'r ghoiße, ond ihr Muetter isch dui Gertrud
Gräfin von Andechs gwä, dui Schwester vo dere
heilige Hedwig, wo die Schlesier als Schutzpatronin
hend. Ond dui Elisabeth isch kaum ens Kender-
schüele gange, do isch se mit vier Johr verlobt ond
uff Deutschland gschickt worde, uff d'Wartburg, wo
ihr Ma uffgwachse isch als Jonger vom Landgrafe vo
Thürenge. Aber no hend se en Ungarn ihr Muetter
ermordet, ond drom hot se au koi rechte Aussteuer
mitkriegt, ond des bißle Sach, wo se ghet hot, des

hot se an die, wo no ärmer gwä send, vertoilt. So daß manche Leut henterom gsait hend, dui soll der Landgraf no wieder hoimschicke ond lieber a Hiesige heirate.

Der Bräutigam aber, Ludwig hot'r ghoiße, hot des scheene ond liebe Mädle vom Ungarland so möge, daß'r gsait hot, die sollet doch ihr bleeds Maul halte, dui dät'r nemme, dui oder koine, dui sei'm 's Liebste uff dere Welt. Ond anno 1221 hend se Hochzich ghet, er isch 20 gwä ond sui 14, ond send arg selig gwä mitnander, ond se hot's koin Dag greut. Au wenn ehm des net emmer recht gwä isch, daß sei Weib Hab ond War an Arme ond Sieche verschenkt ond mit de Bettler schwätzt, statt daß se dere hochnäsige Hottwollee hofiert, wie sich's ghört für höhere Töchter.

Anno 1227 hot onser Stauferkaiser Friedrich II. sein Kreuzzug agfange, ond do isch au sei Freund, der Landgraf Ludwig IV., mitzoge ond hot am 24. Juni, am Johannistag, Ade gsait zu seire Elisabeth, ond am 11. September isch'r bei Otranto am Sompffieber gstorbe, ond no hot des Elend agfange für dui Elisabeth, isch se dogstande mit zwoi kleine Kender, ond's dritte isch vierzeh Dag druff uff d'Welt komme.

Ihrem Ma sei jengrer Bruder isch der Heinrich Raspe gwä. Des isch der gleiche Schlawiener, wo später als Keenich gege onsere Staufer ufftrete ond oiner vo dene ihre Totegräber worde isch. Der Lomp, der siediche, der hot sei Schwägere vo dr Wartburg drvogjagt ond älles ihr Sach weggnomme, daß a Schand gwä isch. Aber no hend ihrem Ma seine alte Freund ond ihrer Muetter ihre Gschwister drnoch guckt, daß se wieder zu ihrem Recht komme isch ond wenigstens a Auskomme ghet hot.

Aber äll des Geld hot se wieder gstiftet ond en Marburg, wo se nazoge isch, a Spital für Alte, Arme ond Kranke nagstellt, ond hot glebt wie seinerzeit grad au der heilige Franz von Assisi ond hot sich verzehrt em Denst an Gott ond dr Welt, ond mit 24 Johr isch se gstorbe anno 1231 am 17. November dohobe in Marburg an dr Lahn.

Ond glei hend d'Leut ganz arg scheene Gschichte verzählt vo dr Elisabeth, ond älle ihre Wonder send so wonderbar, daß mr die dem Mädle au als Evangelischer glaube ka. Ond weil an ihrem Grab Kranke gsond worde send, hot mr se 1235 heiliggsproche, ond do isch sogar extra dr Kaiser Friedrich II. vo Apulien ruffkomme, ond dui Elisabethkirch hend se baut en Marburg, ond do send d'Leut haufedich napilgert. Bis anno 1539 beim Bildersturm ihr Waswoißiwievielmolurenkele, der Landgraf Philipp von Hessen (des isch der, wo anno 1534 en dere Schlacht bei Lauffen mitgholfe hot, daß mir Wirteberger evangelisch worde send), die Reliquie hot verschwende lasse ond jedefall en d'Lahn neigschmisse hot. Ihrn Kopf hend se aber scheints rette könne, der isch heut en Wien en dere Elisabethinerkirch. Ond ihr armseligs Gwand aus're Kirch bei Eltville, des hend se en dr Stauferausstellung zeigt.

Ond au sonst hot's en viele Kirche Statue vo dr Elisabeth, wie se en Brotloib ond a Zinnkann en de Händ hält. Sogar en Stuegert en dr Stiftskirch, lenks en dr Taufkapell, stoht oine ond hot älle Krieg überdauert bis jetz. Bloß isch se net so grazil ond schee, wie se dr Riemenschneider nakriegt hot; se sieht eher aus, als wär se dreimol so alt worde wie 24. Ond daß se ausgrechnet en dere Hauptkirch vo Stuegert stoht, des isch koi Wonder, denn dui Elisabeth isch d'Urururgroßmuetter vom Grafe Eberhard dem Greiner seim Weib, dere Elisabeth von Henneberg.

Ond weil's heutzutag garantiert koin alte Wirteberger gibt, wo net vo dene alte Grafe abstammt, send mir also älle au Nachfahre vo dem freigiebige Keenichsdechterle. Ond an dere könnt sich manche eigebildete Schnepf ond mancher oigesüchtige Enteklemmer a Beispiel nemme. Was wette mr, daß, wenn älle, wo dui guet Elisabeth zur Urahne hend, bloß hondert Mark stifte dätet zur Feier des Tages, nächst Woch scho neamerts meh verhongre bräucht uff dere Welt?

Dr Gelddeifel

Fast jedes Volk uff dere Welt hot sein Schutzpatron:
En Irland hend se den St. Patrick, en Ungarn den St.
Stephan, die Franzose hend ihr Johanna vo Orléans
ond dui Marianne, ond die Schweizer hend den
Wilhelm Tell. Die Tscheche verehret ihrn St. Ne-
pomuk ond St. Wenzel, die Russe den St. Alin, die
Venedicher ihrn San Marco, die Österreicher den St.
Florian, die Schlesier dui heilig Hedwig, ond bei de
Boyre, dui Patrona Bavariae isch sogar d'Maria sel-
ber. Bloß mir Wirteberger, wen hend eigentlich mir?
Mir hend koin Sankt Soondso ond koi Sancta
Waswoißi, aber ganz so alloi standet mir au net do,
mir hend au onsern Spezialspezel, denn wo wäret
mir au nakomme ohne den!? Ohne den oselige
Willnomeh, ohne den verdammte Kriegnetgnueg,
oder ganz oifach ohne den Gelddeifel? Des isch
onser Herrgöttle, ond koi Heiliger wird so vergöt-

tert wie der. Guck na uff Stuegert, guck naus ens Ländle, was se dem überall für Betokathedrale ond Glastempel nagstellt hend. Ond wie sie älle uff de Knui lieget vor dem Denger do ond seim goldiche Kälble, vom Oberbürgermeister bis ra zum letzte Stadtdaglöhner.

Des uff dem Bildle do, des isch dr Gelddeifel. Dui Figur aus dr Kathedrale von Autun en Burgund, dui hot der Stoimetz ghaue en dere Zeit, wo onser Kaiser Friedrich Barbarossa vo D 7320 Göppingen 11 (Hohenstaufen) sei ersts Weib, dui Adela vo Vohburg, drvogjagt hot, daß'r dui Beatrix hot heirate könne, dui wo ganz Burgund bis na ans Mittelmeer g'erbt ond mitbrocht hot, anno 1156.

Des könnet'r ausschneide ond als Heiligebildle en d'Brieftasch neistecke; aber ois mueß mr glei sage, selig ond glücklich isch no neamerts worde mit dem Denger do. Denn wenn dene andere ihre

Nationalheilige drfür do send, daß se Not ond Elend verscheuchet ond ällen Jammer verjaget, onser Gelddeifel, der liefert äll des Elend frei Haus, gratis ond omesonst.

Der macht, daß de Leut 's Sach wichtiger isch wie d'Leut, daß d'Seel rabeschwarz, d'Fenger lang ond d'Herze aus Stoi werdet. Ond älles, was dr liebe Gott schee gmacht hot, wird von dem Gelddeifel hehgmacht. Der sorgt drfür, daß d'Kender koin Auslauf meh hend, daß se bloß no zwische graue Maure ond grausige Stroße uffwachset, daß se jo gwieß au amol so Dubbeler werdet wie ihre Alte, wo onser Hoimet voll verdommet, wo die Felder statt Frucht ond Kraut bloß no Rendite brenge sollet, ond wo statt de Wiese ond Obstbäum bloß no d'Spekulatio blühe därf.

Des isch scho a Allmachtsdeifel, der Gelddeifel do. Bloß wege dem send d'Leut so wüescht ond bscheißet anander ond raffet ond krieget de Rache net voll, ond no standet se do am a scheene Dag mit ihrem Geldsack ond könnet nex mitnemme ond koin gotzige Schnaufer drom kaufe mit äll ihrem Lompegruscht.

Ond no wär dr Herrgott wieder recht samt seine Heilige. Aber die wäret ja schee bleed, wenn die so Hurgler ond Schlurger ens Paradies neilasse dätet. Des langt, daß die Bachel des Paradies dohonde hehgmacht hend.

Onser Hegel

Jetz send des au scho wieder 150 Johr her, daß der
Hegel nemme do isch. Des isch dr gscheitste Ma,
wo je en Stuegert uff d'Welt komme isch, ond wie
needich könnt mr den heut brauche. Do aus dr
Eberhardstroß visavis vom Dagblattdurm isch'r
rauskomme ond hot am 27. August 1770 Geburts-
tag ghet, ond des isch direkt a Wonder, daß die
Obersempel, wo älles abreißet, des scheene Haus
hend stande lasse.

Dem Georg Friedrich Wilhelmle sei Vatter isch
Rentkammersekretär gwä. Heut dät mr sage, er hot
uff'm Finanzamt gschafft. Seine Vorfahre aber send
älles aständige ond rechte Leut gwä, ond gescheite
obedrei, lauter Professer, Prälate, Pfarrer. Koi Won-
der, daß der Jong en dr Schuel glei vorne ghockt ond
scho mit sechs Johr uff d'Oberschuel, uff des Eber-
hard-Ludwigs-Gymnasium an der Ecke Kronprinz-
ond Gymnasiumstroß gange isch. Do hot'r au 's

Abitur gmacht, ond mit 18 isch'r uff Dibenge ens
Stift ond hot Philosophie ond Theologie studiert.

Do en dem Stift hot'r mit'm Hölderlin ond mit'm
Schelling en oire Stub ghaust, ond des gibt's uff dr
ganze Welt au bloß en Wirteberg, daß d'Genie wie
d'Filzläus beinander hocket. Ond so'me intelligente
Volk wie dene Wirteberger setzt mr heutzutag zwoi
Badener als Kultminister vor d'Nas...

Vo dem Studente Hegel wird verzählt, er sei a
bißle a Dickerle ond obholfe gwä ond häb nix uff
seine Kloider ghalte ond sei ganz gern mit de Goge
en dr Wirtschaft ghockt, so daß seine Freund
gmoint hend: O Hegel, paß uff, sonst saufst dr dei
bißle Verstand vollends ab! Ond oineweg hot'r sein
Magister ond sei Exame gmacht, ond des älles en
dere Zeit, wo se überm Rhein drübe ihrn Keenich
om en Kopf kürzer gmacht hend.

Ond weil die jonge Kerle do en Dibenge älle au a
bißle vo dere Französische Revolution em Hirn
romtrage hend, isch dr Hegel net Pfarrer worde,
sondern ens Ausland gange, ond nix Bessers hätt'r
mache könne, weil'r nämlich en dr Hoimet onter so
viel Obergscheitle gar net weiter uffgfalle wär. Des
isch wie wenn d' Miß World am Strand vo St.
Tropez romdappt ond sich koiner nach're omdreht
– en Bähmullehause aber isch se dr Star.

Ond so isch's au mit onserm Hegel gange, ond er
isch nie wieder en sei Wirteberg hoimkomme. Hot

a Weile als Hauslehrer gschafft en Bern, ond no hot'm der Hölderlin, wo's jo grad so gmacht hot ond koi Pfarrer worde isch, a Stell verschafft bei'me Weihändler en Frankfurt, des isch a Verwandter gwä vo dere »Diotima«, vom Hölderlin seire Laura.

Anno 1801, an seim 31. Geburtstag, hot sich der G. W. F. Hegel habilitiert en Jena ond isch Privatdozent worde ond hot mit Philosophiere agfange, ond no hot dr Geheimrath von Goethe gholfe, daß 'r Professor wird, aber von dem Titel hot'r könne net ravespere bei dem Hongerloh. Ond oineweg hot'r do en Jena sei ersts gscheits Buech gschriebe, dui »Phänomenologie des Geischtes« ond isch grad fertig worde, wie dr Napoleon bei Jena ond Auerstedt die verkalkte Preiße zur Schnecke gmacht hot.

Drom isch dr Hegel uff Bamberg zoge ond hot a Weile dui *Bamberger Zeitung* rausgebe, bis mr'n 1808 nach Nürnberg gholt hot als Rektor vom

Gymnasium. Ond do hot'r endlich soviel verdeant, daß 'r hot könne au a Weib verhalte. Ond mit 41 hot'r a Mädle mit 21 gheiratet, a Freifräulein von Tucher, von dene, wo heut no a Brauerei hend. Ond mit seire Marie hotr's könne bis ans End, ond zwoi Buebe hend se ghet, en Karl, der isch Gschichtsprofesser worde, ond en Immanuel, der hot's zom Konsistorialpräsidente brocht vo Brandeburg, ond do sprenget heut no Hegele drvo rom.

Außer dene Kender hot'r en Nürnberg au no sei wichtigsts Werk en d' Welt gsetzt, drei Bücher über »Die Wissenschaft der Logik«. Ond no hend se'n für zwoi Johr nach Heidelberg gholt als Professer, ond anno 1818 isch'r für emmer uff Berlin zoge ond an dere Humboldt-Universität dr Nachfolger vom Johann Gottlieb Fichte worde ond hot's zom preißische Staatsphilosophe brocht. Ond des, obwohl 'r a richtig schees Honoratioreschwäbisch gschwätzt hot ond seine Studente sich mit seim Dialekt grad so schwer do hend wie mit seire Dialektik. Dr Hegel hot nämlich tatsächlich so übergscheit rausgeschwätzt, daß 'r selber amol zuegebe hot, ihn häb bloß oiner verstande, ond der net richtich.

Ond für älle, wo no nie en Satz vom Hegel glese hend, do isch oiner: »Die Philosophie des Geischtes hat den Geischt als unser inneres Selbst zum Gegenstande – weder das uns und sich selbst Äußerliche noch das sich selbst schlechthin Innerliche –;

unsern Geischt, der zwischen der natürlichen Welt und der ewigen Welt steht, und beyde als Extreme bezieht und zusammenknüpft...«

Die send scho gottsmillionisch gscheit, dem Hegel seine Büecher, ond drom liest se au kaum no oiner. Ond des isch a alter Trick für Ageber, wenn se sich mit ihrem Lettegschwätz wichtig mache wöllet, no brauchet se bloß behaupte, des häb dr Hegel gsait. Ond mit dem Trick hot no au dr Karl Marx ond dr Bismarck ond dr Lenin ond dr Mao gschafft, ond älle hend se sich onsern Hegel zrechtboge, wie s'en grad braucht hend. Ond der hot sich net amol wehre könne, denn anno 1831 isch en Berlin d'Cholera ausbroche, ond do isch'r dra gstorbe am 14. November, obends om viertel sechse en dem Haus Am Kupfergraben 4. Ond mit 'me mordsmäßige Leichezug isch'r vergrabe worde uff dem Dorotheenstädter Kirchhof en Berlin, net weit weg vom Bahnhof Friedrichstroß, ond do liegt jetzt au no a anderer Schwab, dr Bertolt Brecht.

Aber dr Hegel liegt nemme am alte Platz: Früher hot's nämlich au scho so Trieler ghet, wo wegem Bau von sore bleede Stroß über Leiche ganget, ond do hot mr den Georg Friedrich Wilhelm Hegel anno 1889 samt seim Nachbar Fichte ausgrabe ond ombettet. Ond en dem Grab bleibt'r jetzt hoffentlich a Weile. Ond freut sich jedesmol, wenn a Stuegerter vorbeiguckt.

Dui Resl vo Wien

Dui Kaiserin Maria Theresia, vo dere hot mr en Wirteberg nie viel wisse wölle. Denn erstens isch se halt scho a bißle arg kadolisch gwä, ond zwoitens hend oim die hiesige Schuelmoister viel, viel lieber vom Friedrich dem Große verzählt, was der für a Held ond Hauptkerle gwä sei. Aber a bißle weiter drobe em Oberland – a paar Hennedäpperle glei henter Dibenge hot jo Östreich agfange bis zom Napoleon – isch des grad omkehrt gwä. Die hend scho emmer gwißt, was mir viel zspät gmerkt hend, daß der große Preißefritz zammeschrompfelt wie a Kürbis, wenn mr den nebe dui Maria Theresia hebt.

Grad 200 Johr send des jetz her, daß se gstorbe isch, ond überall ka mr horche, lese ond gucke, was des für a Prachtsweib gwä isch, ond därf sich no ärger wondere, daß heutzutag so wenig Weibsbilder en dene Gmeinderät, em Landtag ond em Bundestag hocket. Denn wenn's en dere ganze Welt-

Maria-Theresien-Taler (1780)

gschicht a Paradebeispiel braucht, daß a Staat mit-'re »Frau am Steuer« besser fahrt wie mit so kriegskasprige Kerle, no isch des dui Resl vo Wien. Drbei wär dui jo nie ans Regiment komme, wenn ihr Brueder net ganz jong gstorbe wär ond ihr Muetter net bloß no Mädle kriegt hätt. Ond grad 23 Johr alt isch se gwä, do isch ihr Vatter gstorbe, ond der Ma isch no kaum onterm Bode gwä, do isch der jonge Alte Fritz mit seine bairische, sächsische ond franzesische Spezel uff des arme Mädle los ond hot're wölle ihr Sach wegnemme.

Des Kriegsgehändel, den Jammer ond des Elend, was der Friedrich für fast nomol 23 Johr do azettlet ond uff'm Gwisse hot, des machet au die paar lockere ond gscheite Sprüch, wo der sonst no von sich gebe hot, nemme wett. Ond dere Menschheit, ond bsonders ihrem schwäbische Toil, wär viel Leid verspart bliebe bis zom heutige Tag, wenn die Prei-

ße glei am Afang vo dene Schlesische Krieg so
donderschlächtig ois uff ihre Pickelhaube kriegt
hättet, daß se für älle Zeite gnueg ghet hättet vo
dem Soldäterlesgschäft.

Aber schwätzet mr nemme vo dem Denger do vo
Potsdam, schwätzet mr lieber vo dr Resl. Also, wie
dui ihr »felix Austria« onter ihrem Zepter ghet hot,
do ka mr au heut no bloß de Huet raziege vor soviel
Liebe ond Verstand. Ond ihr Gscheitheit, ihrn Fleiß
ond ihr Sitzleder, des älles hot se jedefalls von
ihrem Fenfmol-Urgroßvatter, dem Herzog Chri-
stoph von Wirteberg, gerbt ghet, von wem au sonst?
Denn des isch au so oiner gwä, wo's Geld lieber en
d'Schuelhäuser wie en d'Kommißbeutel neigsteckt
hot. Ond der stoht net omsonst en Stuegert uff'm
Schloßplatz rom. Ond dui Maria Theresia hot au en
ganze Haufe Schwabe uff dene Ulmer Schachtle dui
Donau do na uff de Balkan gholt – ond was hend die für
scheene Dörfer ghet bis anders komme isch.

Ond nebe dem ganze viele Gschäft als Regentin
vo halb Europa hot dui Resl au no sechzeh Kender
kriegt ond uffzoge. Ond ihren Ma, den Kaiser Franz,
den hot se arg möge, ond wie der 1765 gstorbe isch,
hot se dem ihr Lebtag voll nachtrauret ond bloß no
schwarze Kloider trage. Ond hot'n oft bsuecht en dr
Kapuzinergruft, ond wie se 's letztmol bei'nem gwä
isch, do isch so a Soil an dem Uffzug grisse, ond no
hot se gmoint, daß ihr Franzel sie bhalte will, ond

hot'm versproche, daß se bald kommt. Ond no hot
se sich verkältet em Rege ond isch mit 63 Johr am
29. November 1780 obends om neune en Wien en
dr Hofburg gstorbe ond hot zletzt no gsait: »'s ist,
wie wenn ma von einer Stuben in die andere geht.«

Ond älles hot gheult, ond die Bänkelsänger hend
uff de Stroße gsonge des »Trauerlied auf den betrüb-
ten Hintritt Ihro Majestät Mariae Theresiae der
römischen Kaiserin«. »Deutschland, ach zerfließ in
Zähren / in betrübtem Trauerklang! / Schwarz ver-
hüllt mit Musenchören / Sing ich ein banges Klag-
gesang. Wein o Wien! in deinen Mauern / liegt
Therese auf der Bahr / Eilt, o Bürger zu bedauern, /
die die beste Mutter war.«

Ond des wär gscheiter gwä, wenn mr so äbber wie
dui Resl en de Schuelbüecher »die Große« ghoiße
hätt. Ond onter ons, des hot au dr Matthias Clau-
dius gmoint.

Dr Postilljo

Was isch des: 's isch gelb ond lang, macht Krach und
Gstank ond fahrt en achtzig Dag oimol om d'Welt?
Des isch dr Postomnebus vo Stuegert uff Dibenge
oder omdreht. Des isch dr Nachfolger vo dr alte
Postkutsch ond fahrt fast de gleich Strecke ond hält
an de gleiche Haltstatione wie selbichsmol: am
»Ritter« in Degerloch, am »Hirsch« en Echterden-
ge, en Waldebuch ond Dettehause an dr »Post«, ond
no fahrt'r a Extratour an Bebehause vorbei zom
»Adler« en Lustnau und no voll uff Dibenge nei.
Ond scho vor 150 Johr, anno 1833, hot der Nikolaus
Lenau so scheene Versle gmacht über die Dibenger
Postilljo: »Lieblich war die Maiennacht...«

Also gwieß wohr, so äbbes an Freundlichkeit wie
die Fahrer vo dem Postomnebus, des fendet mr net
glei nomol. Die send grad so lieb ond nett wie die
Omnebusfahrer vo dene Reisebüro, wo beispiels-
weis uff Venedich fahret. Ond des isch au koi Won-

der, dui Fahrt durch den scheene Scheebuech isch jo au wie Urlaub. Wer woiß, müßtet die den ganze Dag durch des betonstoinige Stuegert fahre, no gäb's onder dene Postler jedefall au so griesgrämige Stoffel, wie se halt bei der Stroßebah dronternei älls ällemol wieder doch ausnahmsweis d'Regel send.

Die Postilljo, des send hauptsächlich nachgwachsene Baurebüeble vo Dibenge, Rotteburg ond dohobe rom, ond des send helle Bürschle, die hättet könne wonderwas werde, wenn se hättet au uff a bessre Schuel gange därfe wie viele vo ihrer Kondschaft. Do hot mr nämlich scho älle mögliche Herre en dem Bus dren hocke sehe, wenigstens no vor zeh Johr: leibhaftige Altministerpräsidente, Inneminister, Justizminister, Kultusminister, Regierungspräsidente, Landrät, Kuriekardinäl, Erzbischöf, Landesbischöf ond Landesrabbiner, Königliche Hoheite, Vizeadmiräl, Professer ond Universitätsrektore. Viel geistige Hottwollee, aber au oifache Leut wie Waldarbeiter, Besebender oder Staatssekretär.

So viel Gscheitheit isch asteckend ond färbt ab, ond drom hot's onter dene Postilljo sogar richtige Philosophe. Oiner hot amol gmoint, wien'r an dere Neue Aula vorbeigfahre isch: »Jetzt fuetteret mr do en Dibenge Dag für Dag über 20 000 Obergscheitle mit onsere Steuergelder, Professer, Dozente, Akademische Rät, Assistente, Studente ond woiß was net älles für Intelligenzbolze, aber älle mitnander send

se z'bleed ond z'wurmig, daß se amol a Pülverle
erfende dätet, daß koine baise Kerle ond bloß no
scheene Mädle gibt, 's isch doch aber au wohr!«

Ond wenn a Schuelklass en Ausflug gmacht hot,
no hend die omesonst Heimatkunde kriegt vo dene
Postilljo. Do hot's manchesmol ghoiße am Mikro-
phon vorne: »Jetzt gucket'r älle rechts zom Fenster
naus, henter dr nächste Kurv kommt des Kloster
Bebehause. Do hot onser Keenich glebt ond sei
Charlotte, bis se gstorbe send.« Ond des gibt's heut
no, daß uff oimol hoißt: »Do uff dr lenke Seit grast a
Hirsch.«

Überhaupt ka mr en dem gelbe Bus Sache verlebe,
des glaubt mr kaum. Wenn's arg regnet, no lasset se
oin direkt vor dr Haustür aussteige, ond hondert-
fuffzich andere Freundlichkeite hend die Fahrer uff
Lager; die därf mr älle gar net laut sage, sonst
krieget se am End no Scherereie mit ihre Obere, wo
vielleicht net so freundlich send, weil se de ganze
Dag en dr Amtsstub eigsperrt send.

Des isch a richtiger Familiebetrieb, der Postom-
nebus, do konversiert dr Professer mit dr Putzfrau,
ond dr Gog schwätzt mit dem Mädle aus dr Biblio-
thek, ond dr Holzhauer onterhält sich mit dr Hono-
ratioretochter, ond als jonger Student hot mr sich
do sogar traut zum sage: »Herr Minister, machet Se
au Ihr Hosedierle zue!«

Ond weil do älles so freundlich mitnander isch,

drom isch der Bus a Zeitlang a richtigs Heiratsinsti-
tut gwä. Wenn mr do bloß gnueg durchgschüttlet
ond omananderdruckt gwä isch, no hot sich au dr
verklemmteste Altphilolog a Herz gfaßt ond dem
Mädle aus'm zwoite Semester Jura gsait, was se für
a schees Gsichtle häb. Jetz aber fahret jo de meiste
vo dene studentische Herrschafte mit'm oigene
Karre uff Dibenge ond jammeret no, daß se an dere
Uni so oizecht ond verlasse seiet.

Des sott mr dene direkt amol sage, ond älle andre
au, daß der Omnebus gar net deier isch ond mende-
stens äll Stond amol fahrt. Ond daß des Mitfahre
scheener ond gscheiter isch, wie en Haufe Benzin
verfahre ond vielleicht nemme hoimkomme. Ond
au des sott mr amol sage: Dankschee, daß's außer
dene viele Hurgler ond Heenigmacher em Ländle
heutzutag au no so nette ond freundliche Kerle hot
wie beispielsweis die Postilljo vo Dibenge.

Onser Karle vo England

Wo dr Prinz Charles en dr Paulskirch en London sei Diana gheiratet hot, do send mir Wirteberger besonders stolz gwä. Denn ohne ons hätt des ganze Hochzichsfest gar net stattgfonde, weil's ohne ons Wirteberger den Charles gar net gebe dät: Dui Queen Elizabeth isch nämlich a Viertelswirtebergere, denn ihr Großmuetter isch a Fürstin von Teck gwä. Aber fanget mr ganz vo vorne a.

Onser Herzog Carl Eugen, der, wo 's Neue Schloß, d' Solitude ond Hoheheim baut hot, der hot en Brueder ghet, den Friedrich Eugen, den vom Friedrich-Eugens-Gymnasium. Ond der hot genau a Dutzend Kender ghet, ond isch vo dr halbe Welt dr Schwiegervatter gwä: Oi Mädle, dui Maria Feodorowna, hot den Zare Paul vo Rußland, dr große Katharina ihrn Kloine, gheiratet. A anders Mädle hot den Kaiser Franz von Deutschland ond Östreich ghet; ond sei Ältester, der dicke Keenich Friedrich

vo Wirteberg, hot sich a englische Keenichsdochter
zum Weib gnomme. Bloß Frankreich hat nex Pas-
sends ghet, weil die grad Revolutio gmacht hend.
Aber scho dem dicke Friedrich sei oinzigs Mädle
hot dem Kaiser Napoleon sein Brueder Jérôme
kriegt, den König Lustig vo Westfale. Aber des älles
isch jetz egal.

Der Friedrich Eugen hot nämlich als zwoite Bue-
be en Ludwig ghet. Der hot nebenaus gheiratet, hot
sich scheide lasse ond nomol gheiratet, isch uff
Kirchheim onder Teck zoge ond hat a paar Kender
en d'Welt gsetzt. Oi Mädle, sei Pauline, hot dr
Keenich Wilhelm I. gheiratet, wie sei guete Katha-
rina gstorbe isch, ond dui isch d'Muetter worde
vom Keenich Karl ond vo onserm Keenich Wil-
helm II. seire Muetter.

Der oinzige Bue vo dene Wirteberg-Kirchheim,
der Herzog Alexander, des isch a romantische Seel
gwä ond hot en Senn für Scheeheit ghet, ond der hot
koi Freud ghet an dene eigebildete, hochadlige,
hochnäsige Goiße mit ihrer Migräne ond ihrem
domme Geschnatter, won'r hätt heirate solle. Der
hot lieber a Mädle aus Ungarn, so a richtige Pi-
roschka, bildschee wie gmolt ond lieb bis dortnaus,
zum Weib han wölle.

Dui hot Claudine Gräfin von Rhédey ghoiße, hot
aber älles Mögliche uff ihrer Ahnetafel, Zirkusrei-
ter ond Pußtahirte, a gsonde Mischong, ond weil se

en Wirteberg dem Adel net so recht traut hend, hot mr se vorsichtshalber zur Gräfin Hohenstein gmacht. Ond der Alexander hot se nach viel Romondnom em Mai 1835 heirate därfe, morganatisch; des hoißt, weil des Mädle aus koim fürstliche Haus, net standesgemäß gwä isch, send ihre Kender vo dr Thronfolge en Wirteberg ausgschlosse worde ond hend au bloß Hohenstein hoiße därfe.

FRIEDRICH EUGEN (Württemberg)
* 1732 † 1797
|
LUDWIG (Württemberg)
* 1756 † 1817
|
ALEXANDER (Württemberg)
* 1804 † 1885
|
FRANZ (Teck)
* 1837 † 1900
|
MARY (Teck)   ⊕   GEORG V. (Großbritannien)
* 1867 † 1953   * 1865 † 1936

EDUARD VIII.   GEORG VI.
Herzog von Windsor   * 1895 † 1952
* 1894 † 1972 |
                                   ELISABETH II.
                                   * 1926
                                   |
                                   CHARLES
                                   Prince of Wales
                                   * 1948

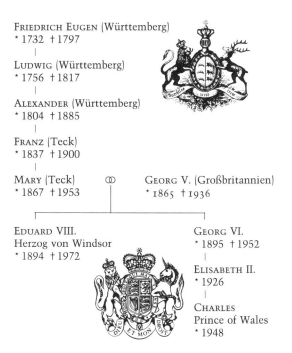

Genau neun Monat ond neun Dag drnach isch's
erste Kendle dogwä, a Mädle; 's Johr druff a Bue, dr
Franz, ond no nomol a Mädle, ond no isch dui
Piroschka ganz jong gstorbe, vom Gaul ragfloge,
ond vertrampelt worde, ond der Alexander hot
nemme gheiratet.

Der Franz (der hoißt bloß so kadolisch, isch aber
evangelisch gwä) isch groß worde ond Offizier, ond
hot bei de Olgadragoner gschafft ond hot's zom
Generalleutnant brocht, ond weil'r so a Prachtsker-
le gwä isch ond aständig, hot'n dr alte Keenich
Wilhelm I. zum Fürste von Teck erhobe. Ond anno
1866 hot'r a englische Herzogsdochter gheiratet.
Dui hot lieber en seine scheene Auge wie uff sein
Stammbaum guckt.

Ond no isch dui Gschicht voll schnell verzählt.
Sei Mädle, dui Mary von Teck, hot anno 1893 den
Herzog von York, en Enkel vo dr Queen Viktoria
kriegt, ond wo sei Vatter, der Keenich Eduard VII.
anno 1910 gstorbe isch, isch dr Mary ihr Ma na-
komme ond hot als Georg V. regiert bis anno 1936.
Ond no hot dui Wirteberger Mary zueguecke müe-
ße, wie ihr Ältester wege some gschiedene Ami-
weible, dere Mrs. Wally Simpson, des Gschäft als
Keenich an de Nagel ghängt hot ond als Herzog von
Windsor uff Paris zoge isch.

Ond onser Mary hot's au no verlebt, wie ihr
Jengster, der Keenich Georg VI., anno 1952 gstorbe

isch ond dem sei ältests Mädle, d'Elisabeth, Queen
worde isch. Ond hot au no zwoi Urenkele sehe
därfe ond streichle, den Charles ond dui Anne, wo
jetz Phillips hoißt, ond isch erst anno 1953 gstorbe.

Ond wie dui Queen Elizabeth anno '65 bei ons
gwä isch ond manche demokratische Weibsbilder
ond bessere Schnepfe wochelang vorher vorem
Spiegel den Hofknicks probiert hend, do hot se
gsait, daß ihre ihr Oma emmer viel vo dem Wirte-
berg verzählt häb. Vo dem Wirteberg, wo die Tecker
nie hättet Keenich werde därfe, aber für England
send se guet gnueg gwä.

Ond nomol äbbes verbendet den Karle von Eng-
land mit Wirteberg. Seim Vatter, dem Prinz Philipp
sei Schwester isch d'Muetter vom Fürste Kraft von
Hohelohe-Langenburg, ond isch erst vor kurzem
gstorbe. Der Fürst vo Langeburg isch grad so a
freundlicher Ma wie dr Philipp ond isch sicher
selber en London bei dr Hochzich vo seim Vetter
gwä. Mir andere aber, wo mir dank dem Herzog
Carl Eugen ond seim Fleiß als Landesvatter ja älle
au Vetterle vom Karle send, mir hend halt en d'Röh-
re guckt. Ond ghofft daß'r seiner Lebtag selig wird
mit seire Diana ond älles macht, daß dui bald ihr
oiges Kenderschüele uffmache ka. God save the
Prince. Ond sui au.

Vom Nikolaus Lenau

Woiß net, wer den Nikolaus Lenau no kennt. Der isch vo Ungarn dohonne gwä, hot eigentlich Nikolaus Franz Niembsch Edler von Strehlenau ghoiße ond hot älles megliche studiert ghet, hot als Lyriker gschafft ond isch em Sommer 1831 uff Stuegert komme, daß'r seine Versle loskriegt an den Verleger Cotta vo dr Keenichstroß, wo au em Schiller ond dem Goethe sei Sach druckt hot.

Ond gwohnt hot'r beim Gustav Schwab en dr Gymnasiumstroß 51, ond dem sei Frau hot a Nichte ghet, Lotte hot se ghoiße aus dere Familie Gmelin (wo kürzlich au oine hätt könne Familieministere werde, wenn se bloß wölle hätt). Ond des Mädle hot'r saumäßig möge, ond au sui den saubere Kerle, wo ausgsehe hot wie so a Gulaschoperettebaron. Aber weil der bloß rompoussiere ond net heirate wölle hot, hot'r se ame scheene Dag nemme sehe därfe ond isch wo anders nazoge, aber oineweg

emmer nächtweis om des Haus romgstriche, daß se
no au amol rausgucke dät. Ond en dere Zeit hot'r au
die wonderscheene »Schilflieder« dichtet; do bei dr
Liederhalle dohomme isch nämlich no Sompf gwä
vo dene große See, wo se den Vogelsangbach uff-
gstaut ghet hend em Mittelalter.

Ond so hot'r halt sei Zeit rombrocht mit Versle-
mache ond Trüebsalblose ond isch sowieso a bißle
schwermüetig gwä. Ond vor 150 Johr, em Mai 1832,
isch'r mit dr Postkutsch amol uff dere Schweizer
Stroß, wo bei Degerloch an dr Stoig afangt, ge
Balinge gfahre en dr Nacht, ond so richtig roman-
tisch isch's gwä wie em Kino bei dene Heimat-
schnulze. Ond do hot der Postilljo uff oimol ghalte
an dem Kirchhof vo Steinhofe schräg vis-à-vis vom
Hohenzollern, ond wie die Leut rausguckt hend,
was eigentlich los isch, hot'r gsait: Reget uich net
uff, dohübe leit mei Kamerad vergrabe, ond drsell
isch so a lieber Kerle gwä, daß i do jedesmol halte
mueß.

Und no hot'r sei Posthorn gnomme ond dem
Freund zum Grueß dem sei Leib- ond Magelied
blose. Ond des Echo hot do, daß mr hätt moine
könne, der dät mitspiele. Ond wie des Liedle aus
gwä isch: »Weiter ging's durch Feld und Hag mit
verhängtem Zügel; lang mir noch im Ohre lag jener
Klang vom Hügel.«

A paar Woche druff isch der Nikolaus Lenau nach

Amerika ausgwandret ond hot dort sei Glück sue-
che wölle, aber des hend scheint's scho andere
gfonde ghet. Ond so 400 Morge Land, won'r do
kriegt hot en Ohio, wöllet au gschafft sei, ond des
hot'r lieber bleibe lasse. Ond hot sich den Wenter
über en sei Blockhaus neigsetzt ond an des Wirte-
berg denkt, wo's 'em so guet gange isch, ond vor
lauter Hoimwai hot'r des Gedicht gmacht »Der
Postillon«: »Lieblich war die Maiennacht, Silber-
wölklein flogen...« Ond wer's nemme oder no gar
net ka, der soll's ruhig nachlese, des isch ois vo de
schenste deutsche Gedicht.

Ausgangs April 1833 hot'r en New York a Schiff
nach Bremen gnomme, ond wie des glandet isch, do
isch der Kerle scho a Berühmtheit gwä, weil dr
Cotta en dr Zwischezeit seine Versle druckt ghet
hot. Ond vo dem Ruhm hot'r a bißle ravespre könne
ond isch äbbes romgreist en dr Weltgschicht, aber
isch emmer wieder uff hie komme zu seine Freund
am Nesebach. Ond do hot'n au anno 1844 dr Schlag
troffe, ond er isch nübergschnappt, ond mr hot'n uff
Wennede brocht für drei Johr, ond no hend se'n uff
Wien gholt ond nach nomol drei Johr em Irrehaus
vo Oberdöbling isch'r do 1850 a paar Dag nach seim
48. Geburtstag elendiglich gstorbe an dere Krank-
heit, wo se mittlerweile a Pülverle drgege erfonde
hend. Ond oineweg laufet no so viel Spenner
rom...

Heimatland die Filder

Siebzehhondertondograd Johr send des jetz her, daß mir über den Limes gstiege send ond die alte Römer hoimgschickt hend, des dekadente Gstair, wo sich selber mit Blei vergiftet hot. Ond weil mr do no freie Auswahl ghet hot, hend mr ons selbichsmol den beste Toil rausgsuecht, des scheene Land do zwische Scheebuech, Nesebach ond Necker, 'en Bode so guet wie en Burgund die Wengert, ond hend die fruchtbare Felder Filder ghoiße ond für älle Zeite sage wölle, so a bodeguets Land geits em ganze germanische Gäu net nomol.

Ond wie a Perlekette hend mir die Haufe Ingendörfer mittle draneigstellt, Vaiheng, Maireng, Pläneng, Echterdeng, Sielmeng, Nelleng. Ond wie die nemme glangt hend, hot mr de Wald grodet ond send anandernoch die andre Flecke drzuekomme, Bernhause, Bolande, Degerloch, Heumade ond wie se älle hoißet. Ond no send do so Leut aus Irland

ond England extra rübergfahre ond hend ons Halb-
wilde des Evangeliom brocht, ond jetz hend mir
gwißt, wer die Filder ond den Hemmel drüber
gmacht hot ond daß beim Mose hoißt: Solange die
Erde stehet, soll nicht aufhören Saat ond Ernte,
Frost ond Hitze, Sommer ond Wenter, Tag ond
Nacht. Ond älles hot a Ziel ghet ond en Senn. Ond
mir hend älle die Schläg verkrafte könne, was die
Zeite so uff oin neigschlage hend, äll des Elend ond
den Jammer, ällritt en Krieg, des ewige Gehändel,
die hergloffene Gwaltigel, die Madjare, Kroate, dr
Schwed, dr Franzos, die verbrennte Häuser, die ver-
haglete Felder, des verfaulte Korn, die verfrorene
Blüete, die austrocknete Äcker, die Hongerjohr, dui
Pestilentz ond Cholera, ond dronternei die Sempel
ond Sauigel vo dr Obrigkeit. Äll des Elend hot mr
aushalte könne, weil mr gwißt hot, ewig ka des net
so weitergange, ond hot emmer a Hoffnong ghet,
daß älles amol wieder guet wird ond schee.

Ond tatsächlich send emmer wieder au herrliche
Zeite komme, do send die Filder d'Kornkammer
gwä vom ganze Schwabeland bis na an Arlberg ond
Vierwaldstätter See. Ond onser Filderkraut hend se
en äller Welt so gschätzt, daß se en Amerika älle
Deutsche bloß »Kraut« hoißet. Ond au Obere hend
mr kriegt, daß a Freud gwä isch, die zwoi Friedrich
vom Staufe, den Eberhard em Bart, den Herzog
Christoph, wo ons 's Lese ond 's Schreibe glernt

hot, dr Herzog Carl Eugen, wo mit seire Franziska en Hoheheim glebt hot wie a Filderbauer onter Filderbaure. Oder die zwoi Keenich Wilhelm, Prachtskerle boide ond liberal ond demokratisch wie heut koi Demokrat, ond dr erste drvo hot dui ältest Baureakademie vo dr Welt uff onsre Fildre eigrichtet.

Aber no send au wieder ganz ganz fiese Figure uffkreuzt mit ihre fäkalfarbige Hemmeder, ond aus-

grechnet die mit ihrem verlogene Bluet- ond Bode-
gefasel hend mittle en den fruchtbarste Bode vom
ganze Deutsche Reich a Autobah ond en Flughafe
neipflätscht. Ond bei Nacht ond Nebel so mirnex-
dirnex ond ogfrogt die Filderdörfer oberhalb vo dr
Autobah uff Stuegert neikassiert.

Ond weil die Schlurger mit äller Welt Händel
agfange ghet hend, send uff oimol Bombe ragfalle
vom Hemmel, wie wenn die Filder schuldig gwä
wäret. Ond wie no die schlechte Zeite komme
send, do wäret se en Stuegert verhongret, wenn's
die Filder net gebe hätt. Aber statt froh ond dankbar
sei, send se, kaum daß se wieder vollgfresse gwä
send, uff die Filder los wie uff en Zwetschgekueche
an dr Kirbe ond hend Äcker ond Wiese zuebeto-
niert, daß a Schand isch. Ond obwohl mittlerweil au
de letzt Schlofhaub gmerkt hot, wo des amol naführt,
hend die scheints emmer no net gnueg Hoimet
verhonzt ond hehgmacht, die gwählte Gwaltigel.

75 Generatione Schwabe, wenn net no meh, send
jetzt uff dene Fildre ghockt ond send zfriede gwä
ond hend des Land jedesmol schee ond oversehrt
weitergebe an ihre Kender. Ond jetz soll oi gotzige
Generatio vo Betobachel ond Kriegnetgnueg des
ganze Sach vo onsre Kendeskender verdo ond ver-
domme därfe. Soll der alte Mose nex mai gelte ond
älle Hoffnong de Nesebach na. Heimatland, gege
dui Dommheit isch koi Filderkraut gwachse.

Vom Karl Julius Weber

Do machet se a Mordsgschieß om den alte Goethe, weil der vor 150 Johr sein Griffel wegglegt hot, wo der doch seiner Lebtag nex gscheits gschriebe hot außer dene Räuber – ond die send vom Schiller. Aber so a Genie wie den Karl Julius Weber, wo grad so vor 150 Johr gstorbe isch, von dem woiß fast koiner meh äbbes. Drbei hätt der den Goethe no zwoimol en Dasch neigsteckt – ond isch oineweg vergesse. Mit ons Wirteberger ka mr's jo mache.

Dem Karl Julius sei Muetter isch a Kammerjongfer gwä bei de Hoheloher en Langeburg, ond do isch'r au uff d'Welt komme anno 1767. Sei Vatter hot als fürstlicher Rentmeister gschafft, 's gleich Milljöh also wie dr Hegel, wo drei Johr jönger gwä isch, bloß daß dem Weberle seine vier Urehne no net älle em weiße Krage romgloffe send: Küefer, Hofprediger, Gärtner ond Soldat send die gwä.

Koi Wonder, bei dere Mischong, daß der Kerle en

dr Lateinschuel en Langeburg glei vorne dra gwä isch ond später en Öhrenge uff dem Gymnasium, wo fast grad so guet gwä isch ond berühmt wie em Hegel sei *Ebelu* en Stuegert.

Ond no hot'r en Erlange Jura studiert, isch aber koi so a Scheuklappejurist worde, wo außer Paragraphe sonst nex mai em Kopf hot, noi, der hot sich für älles entressiert, vo de alte Grieche bis zu de frische Franzose, Voltaire, Rousseau ond so. Ond hot Büecher gsammlet wie andre Leut Briefmarke oder Geldstückle, ond hot no am End a Dutzed dausend beinanderghet – ond des selbichsmol.

Ond no isch'r uff Göttenge gange, wo sei Landsma, der August Ludwig Schlözer, a Kreuzung vo Einstein ond Augstein, aber meh Einstein, Professer gwä isch, ond des hot der Karl Julius Weber au werde wölle.

Ond obwohl älles gmoint hot, daß der Kerle a Käpsele isch ond Karriere macht, isch nex draus worde, weil'r halt doch en oigene Kopf ghet hot ond neamerts henteneigschlupft isch; ond weil halt die meiste bloß durch Krieche groß worde send, lasset die au bloß ihresgleiche hochkomme.

Ond no hot'r halt als Hauslehrer gschafft, wie dr Hölderlin ond dr Hegel au, am Genfer See, ond do hot'r 's schee ghet ond hot überall na verreise därfe, en dr Schweiz rom, nach Paris ond na bis en d'Provence, grad en dere Zeit, wo die Franzose Revolution gmacht hend.

Ond anno 1792 hot'r bei dem Grafe Erbach als Kabinettsekretär agfange, der isch Staatthalter gwä vom Deutschorde en Mergentheim, ond do hot'r 's au schee ghet, bis der Ma gstorbe isch. Ond no hot'r a Weile bei dem seim Brueder gschafft als Hofrat, ond anno 1802 hot'r a bodeguets Agebot agnomme als Persönlicher Referent ond Reisecompagnon vom Erbgrafe von Isenburg-Büdingen, ond dodrmit isch'r granadamäßig neidappt.

Denn des isch so a Schnösel gwä, riegeldomm, aber arrogant, a Kombinatio, wie se heutzudag au scho beim gemeine Volk vorkommt, ond über den Denger hot'r sich so elendiglich ärgre müeße, daß'r schier nübergschnappt ond ganz ond gar krank worde isch ond sich für a Nasewasser auszahle lasse hot.

Ond no isch'r zu seire Schwester zoge. Dere ihr Ma hot als Beamter beim Götz vo Berlichinge seine Urenkele gschafft en Jagsthause ond später beim Keenich vo Wirteberg, ond jedesmol, wenn der Schwager versetzt worde isch, isch'r au mitzoge, nach Weikersheim, nach Künzelsau ond zletzt nach Kupferzell. Ond für des Oberamt Künzelsau isch'r au a Zeit em Landtag ghockt en Stuegert, em erste vom Keenichreich. Was mueß des für a glücklichs Land gwä sei, des Wirteberg, wenn so gscheite Köpf selbichsmol au Politiker gwä send.

Wieviel Gscheitheit der en seim Hirn spazieretrage hot, des ka mr heut no sehe, wenn mr dem seine Büecher liest, wo der so ällsgmach gschriebe hot: Über »Möncherei«, »Ritterwesen« ond »Papstthum« hot'r sich ausglasse – ond wie! –, hot besser wie jeder Reiseführer seine »Briefe eines in Deutschland reisenden Deutschen« verfaßt. Aber sei Hauptwerk isch sei »Demokritos oder hinterlassene Papiere eines lachenden Philosophen«.

Also, des isch so jesesmäßig gscheit, spritzig ond witzig sogar no nach 150 Johr, daß mr direkt sage ka, daß der Karl Julius Weber 's Enkele vom Voltaire, dr Großvatter vom Tucholsky ond a gschwistrigs Kend vom Abraham a Sancta Clara isch. X Ufflage hot des Buech ghet, ond des wondert oin net, daß die Mickymaus- ond Discohirnle vo heutzudag des nemme kennet ond leset.

Was dät der Kerle dere Gsellschaft do de Rost ra, wenn'r no do wär. Aber leider isch'r am 19. Juli 1832 en Kupferzell gstorbe, ond dort uff'm Kirchhof isch au no sei Grabstoi mit'me scheene lateinische Spruch. Den hot'r sich selber rausgsuecht, ond er hot au wölle, daß mr koine Bleamle brengt; mr soll lieber a gscheite Zigarr an seim Grab qualme.

Aber weil des Rauche so arg ogsond isch, kriegt sei zwoiter Grabspruch – den er au wölle hot, der aber net neigmeißelt worde isch – en ganz andre Senn: »Hier ruhen meine Gebeine. Ich wollt, es wären deine!«

Denkmalschmutz

Des ka mr scho verstande, daß manche Spitzhak-
kehansel onter dene Schultes ond Gemeinderät den
Denkmalschutz gern wieder en ihre Fenger, en ihre
Baggerschaufle kriege dätet, denn so, wie's jetz isch,
könnet se nemme so mirnexdirnex tabula rasa ma-
che, wie se's gern hättet. Aber daß do ausgrechnet
au die Herrschafte vo Stuegert vorne dra send ond
ihr Gosch uffreißet gege den Denkmalschutz, des
isch dr Gipfel. Denn was die Brüeder do älles an so
alte scheene Sache en dere Stadt verdommt ond
Dreck am Stecke hend, des isch einmalig.

Ond wenn die tatsächlich so a schwachs Hirnle
hend, daß die des älles scho vergesse hend, no sott
mr des dene direkt amol wieder onter d'Nas reibe.

Fanget mr a mit dem Stuegerter Marktplatz. Was
send do für Häuser gstande! Die hend ausgsehe, wie
wenn dr Mörike dr Archetekt gwä wär; ond send
zehnmol so schee gwä wie dui Calwer Stroß, wo se

jetz so hochjublet. Ond drbei hend die Leut am Märkt nach'm Krieg ihre Häuser em alte Stil wieder uffbaue wölle. Aber noi, die hot mr zwonge, daß se die langweilige Konditerschachtle nastellet, wo die vo dr Stadt sich hend eifalle lasse.

Daß des mit dem neue Stuegert überhaupt so a vergrotene Sach worde isch, des danket mr haupt- sächlich dem Schultes Klett ond seim Spezel, wo der zom »Generalbaudirektor« gmacht hot.

Froget net, wie der Denger ghoiße hot – versun- ken und vergessen, das isch des Sängers Fluch. Der isch dr Oberst gwä vo dere »Zentrale für den Auf- bau der Stadt Stuttgart« (ZAS), ond die hend die Zeidongsschreiber bald omdäuft en »Zerstörer Al- ter Stadtbilder«. Ond tatsächlich hot mr moine könne, die hättet als Parole ghet: Älles, was schee ond alt isch en Stuegert, mueß weg, daß die später amol nemme sehe könnet, was mir für Nixkönner ond Hamballe gwä send. Beispielsweis des »Alte Steinhaus« zwische Stiftskirch und Schuelstroß. Des isch a romanischs, 's älteste Haus vom alte Stuegert gwä ond scho dogstande, do hot's no net amol Wirteberger en Stuegert gebe.

Ond do dät mr sich heut d'Fenger drnoch ab- schlecke, weil's weit ond broit em ganze wirte- bergische Vatterland koi so a Haus meh hot. Ond was hend sich selbichsmol d'Leut em Blättle d' Fenger wondgschriebe! Hot älles koin Wert ghet –

Altes Steinhaus (erbaut im XIII. Jh., abgebrochen im XX. Jh.)

des hot ratzebutz wegmüeße. Mir brauchet koi alts Glomp, mir brauchet Parkplätz, hot so a repräsentatief intelligenter Stadtrat gmoint.

Narr, ob'r's glaubet oder net, aber die Schlurger hend seinerzeit sogar au no des Neue Schloß ond des Kunstgebäude abreiße wölle, ehrlich wohr, ond wenn die alte Stuegerter ond die Stuegerter Zeidonge net nagstande wäret ond emmer wieder gsait hättet: »Ihr spennet jo, lasset bloß den Bleedsinn bleibe!«, garantiert dät jetz uffm Schloßplatz so a Mischmasch aus Echterdenger Ei, Rotebühl- ond Fasanehofkaserne romstande. Ond vor lauter Frustratio, daß des Neue Schloß doch bleibe därf, send se no uff des Kronprinzepalais los, do wo jetz der Kleine Schloßplatz isch. Des isch a Haus gwä, so groß ond schee wie dr Keenichsbau drnebe ond hot dort neipaßt wie gmolt. Ond do hot der Denger em Gmeinderat a Mehrheit kriegt, daß des wegkommt.

Aber was will mr vo dene Stadträt au viel weiter verlange, wo die doch hauptsächlich deswege gwählt werdet, weil se so schee Luftballoo verschenke ond uff Bierfestle so schee grinse könnet.

Oder gucket den Schillerplatz a! 's oinzige Eck, wo en Stilbruch isch, do hot d'Stadt 's Sage ghet, do am »König von England«. Vorher isch des a wonderbars Wirtshaus gwä, ond do hot grad vor 150 Johr dr Chopin sei Revolutions-Etude dren komponiert.

Ond bei dere Glegeheit därf mr des ruhig amol

sage, daß des armselige Pole für fremde Städt weiter Verständnis uffbrocht hot als wie die neureiche Stuegerter für ihr oiges Sach.

Ond beispielsweis isch jede alte Dorfkirch em henterste Gäu enne dren fuffzichmol scheener wie onser Stiftskirch. Des isch nämlich au so a Kapitel, was se aus dere gmacht hend. Ond erst aus dem Stuegerter Rathaus, wo koine zwanzig Johr lang ghebt hot ond dr ganze Lompegruscht ragfloge isch.

Also wenn des koi Symbol gwä isch für den d(yn)amischen Wiederaufbau im Geischte des Fortschritts! Oder wie se den Schocken-Bau vom Mendelsohn visavis vom *Dagblatt*-Durm oifach zammegschmisse hend, obwohl se en äller Welt drgege protestiert hend. Oder wie se des Theater verhonzt hend mit dem Kleine Haus ond dem Gardrobebunker. Oder wie se den scheene Alagesee so saudomm achteckig gmacht hend oder dui Hohe Karlsschuel, wo se extra zom 200. Geburtstag vom Schiller abgrisse hend. Ond ond ond.

Do gibt's koi andre Stadt uff dere Welt außer Stuegert, wo en dr Stadtchronik em Register den Verweis dren hot: Denkmalpflege siehe Abbruch. Ond ausgrechnet die wöllet den Denkmalschutz wieder en ihre Griffel kriege.

Des wär jo grad, wie wenn mr den Chef vom Elfebeinschmugglersyndikat zum Präsidente vom Tierschutzverei mache dät.

So a Menschle

Die Leut, wo älle so oizecht mit'm Auto ens Gschäft fahret ond die Stroße verstopfet ond verstenket, die wisset gar net, was'n do nausgoht, daß se net mit dr Stroßebah fahret. Sache ka mr do verlebe, also noi!

Do hockt mr ganz friedlich en some Sechser dren, macht's wie dr Gmeinderat, denkt sich nix weiters, no steigt do am Olgaeck so a Menschle ei ond pflatscht sich uff den Platz direkt vis-à-vis. Ond no hane afange denke, ond han denkt, mi trifft dr Schlag, so omeglich brudal hot dui ausgsehe. Ond weil'r me no doch net troffe hot, hane an den Alte Fritz denkt, wo se dem sei Braut vorgstellt hend, hot der gsait: »Ein Glas Schnaps bitte!« Aber des kriegt mr koin en dr Stroßebah, ond womeglich hätt mr des Menschle am End gao no dopplet gseh: Hot dui net beerschwarze Augedeckel ghet, stiefelsdick mit Karresalbe agschmiert, ond a raote Gosch

ond raote Fengernägel wie die Zuddle vo Holly-
wudd ond ihr Hoor gfärbt, daß a Regeboge a Dreck
drgege isch; ond die Hoor send nuffgstande, wie
wenn mr se henderschefier aus'me Kübel voll Tape-
tekleister rauszoge hätt. Ond a engs Hösemle hot se
aghet wie aus Krokodilleder oder Schlangehaut ond
en alte Bratesrock drüber ond am Revers an Haufe
Sicherheitsnadle ond Rasierklinge, ond a paar so
ronde Brosche dra mit so Sprüchle druff. Ond ois
hot ghoiße: »Abtreibung – ja bitte«.

Do hätte am liebste gsait: »Oh Menschle, wenn
no dei Muetter au scho so fortschrittlich denkt
hätt…« I han's aber verhobe ond mei Maul ghalte,
denn erstens soll mr jo tolerant sei, wie des onser
Schultes emmer wieder sait, ond zwoitens, wenn
oine so verbotte wüescht en dem Wirteberg rom-
lauft, woiß mr jo nie, ob dui net mit'm Rasiermes-
ser uff oin los goht. Ond, tatsächlich, hot se jetz en
ihr glitzerichs Handtäschle neiglangt ond – äbbes
zom Lese rausgholt.

Ond wer jetzt denkt, des wird jedefall so a Fuff-
zichpfennichschnulzeroman gwä sei, der hot sich
gewaltig dische. Ob'r's glaubet oder net, hebt des
omegliche Menschle mit seine 16, 17 Johr doch
tatsächlich dem Johann Peter Hebel sei »Schatz-
kästlein des Rheinischen Hausfreundes« zwische
ihre agmolte Fengernägel. Mit älle dene wonder-
scheene Gschichte dren vom Kannitverstan ond so,

ond vo dene Gauner, Zundel hend die Gauner ghoi-
ße, ja Zundelheiner ond Zundelfrieder, wie der
Schultes vo Crailsheim ond vo Heidelberg. Ond jetz
hane gar nemme könne ond no hane denkt, der
Prophet Samuel hot recht, wenn'r sait: »Ein
Mensch sieht, was vor Augen ist, der Herr aber
sieht das Herz an.«

Ond wie no des Mädle ausgrechnet grad des
Gschichtle liest vom Schneider en Pensa, wo mir
als Kend scho so gfalle hot, weil mei Ururehne au
mit'm Napoleon en Moskau drbeigwä isch, do hane
me richtig gschämt, für des, was'e vo dem Mensch-
le so denkt han. Ond wiene mi no zwische Bopser
ond Haus 61 gnueg gschämt ghet han, bene älls-
gmach naseweis worde, ond an dr Altebergstaffel
hane me no frage traut, ob se des für d'Schuel lese
müeßt. Ond em purschte Hochdeitsch – se isch von
»Hanowa« dohobe ra – hot se gsait: »Nein.« Bloß so
zom Spaß.

Ond jetz kommt's: Se häb en dr Zeidong den
Uffsatz glese vom Albrecht Goes übern Hebel
(»Brücke zur Welt« vom 7. August 1982), ond no
häb se sich des Buech kauft, ond des sei echt irre,
Spitze.

Do bisch doch total vo de Socke, do moinsch, so
oine hätt außer Kaugummi nex em Kopf, ond no
liest dui sogar dui Obergscheitlesbeilag vo dr *Stue-
gerter Zeidong*! Ond i möcht net wisse, wieviel

Kerle mit Krawatt ond Bögelfalte den Uffsatz oglese zum Altpapier glegt hend...

Ond vo dr Waldau a hend mr bloß no gegeseitig vom Johann Peter Hebel gschwärmt ond die Gschichte anandernoch uffzählt vo dene badische Jäger en Hersfeld, dem Bergmann en Falun, dem Husar en Neiße ond wie se älle hoißet, so daß au des ältere Fraule uff dem Sitz schräg vis-à-vis nemme bös guckt und uff oimol au mitgschwätzt hot. Ond vor lauter Hebel hane gar net froge könne, worom so a gscheits Mädle so saudomm drherkommt. Ond i denk mr's halt so, daß bei »Hanowa« dohobe glaubich emmer no d'Elch graset, ond jedefall mueß mr do als Vogelschaich romlaufe, daß oin die Elch net agreifet.

En Degerloch an dere Haltestell mit dene Betobunker, wo mr moint, die hätt dr Dschingis Khan em Suff nagstellt, do hane aussteige müeße ond Ade gsait, ond se hot me ganz mitleidig aguckt onter ihre schwarze Augedeckel, daß i en some Kaff wohn mit sore Brechreizarchedektur. Ond no hot se sich uff mein Platz gsetzt ond isch weitergfahre, em Sechser mit'm Hebel Mairenge zue.

Visagologie

Wenn mr dronternei älls amol wieder dui Keenich-
stroß en Stuegert nalaufe mueß, no ka mr, erstens,
sich freue, daß mr wege dene viele Bäum jetzt die
vergrotene Käste nemme so sieht, wo se em Wirt-
schaftswunder ohne jedes Gspür so neipfuscht
hend.

Zwoitens die scheene Schaufenster agucke ond
sich wondre, daß au no Leit gibt, wo scheints so viel
verdeanet, daß se des teure Zeug zahle könnet.

Drittens aber – ond des isch am intressanteste –
ka mr sich die Xichter agucke, wo oim do so inter-
national verkommet: Äbbes Mairenger, äbbes Bal-
kan, äbbes Kadolischnuihause, äbbes Sicilia ond
Andalusia ond Heumada, ond äbbes Heslicher send
au dronter. Also a gmähts Wiesle für jeden Ama-
teurvisagologe.

Visagologie, des isch dui Wisseschaft vo dem
menschliche Xicht, ond em Gegesatz zu dere sau-

domme Astrologie, wo se wirklich so dra rommachet, isch an dere Visagologie scho äbbes dra. Au wenn se den Johann Kaspar Lavater afange nemme so lobet, wo vor 200 Johr dui Physiognomie erfonde hot, so hot doch der guete selige Sartre ond der Albert Camus glaubich gsait, daß der Mensch vo 20 a für sei Xicht selber verantwortlich sei.

Ond bei äller Phantasie und Vielfalt vo dem, wo dui Welt ond älle Xichter gschaffe hot ond en Ewigkeit macht, hot der große schwäbische Anthropologe Professor Friedrich Eugen Freiherr von Fröschle en seire »Typologie der Visage« (Tübingen 1978) drei Type vo Xichter festgstellt. A: des Panzerknakkerxicht (»zumeist verbunden mit einem Hummeleskopf«), B: des Mickimausxicht ond C: des Carlfriedrichvonweizsäckerxicht.

Des bißle Theorie und daß mr de Leut no ens Xicht gucke ka, des isch älles, was mr braucht bei dem Hobby. Also oheimlich preisgünstig, ond mr ka's au überall ausüebe, sogar en dr Stroßebah, was beispielsweis oim, wo als Hobby Tiefseetauche, Skifahre oder Trampolinsprenge hot, doch relativ schwerfällt.

Ond als Visagologe guckt mr dui Welt mit ganz andere Auge a, ond mr wird gnädiger mit dere Menschheit. Hauptsächlich wenn mr amol gmerkt hot, daß doch bei overhältnismäßig viel Leut der Abstand zwische Augebraue und Hoorasatz ver-

hältnismäßig bhäb isch em Gegesatz zu dem Abstand zwische Kinn und Naselöcher. Ond hot no doch Verständnis für manches Wahlergebnis ond manche Gmeinderatsentscheidong. Ond garantiert, wenn die beim Führerschei anstatt vo'm a Sehtest a Xichtskontrolle mache dätet, dät viel weniger passiere.

Höhepunkte im Dasein eines Amateurvisagologen aber send so Däg, wenn amol a ganz besonders Xicht drherkommt. So isch mir neulich am Keenichsbau a Ma verkomme, daß e zerscht denkt han, dem sottsch direkt sage, daß'r dem berühmte Josef Meinrad scho saumäßig ähnlich sieht.

Ond wien'r nächer kommt, hane denkt, Mensch, des könnt'r sogar selber sei, aber was soll au so a großer Burgschauspieler ausgerechnet en dem Stuegert romlaufe wölle?

Ond eb mr sich's no däglang em Hirn romwärglet – isch 'r 's oder isch 'r 's doch et gwä? – hane denkt, frogsch'n halt. Jetz ka mr aber doch so en Ma, wenn 'r 's je doch wär, net so mirnexdirnex wie a Stoffel froge, ob er dr Josef Meinrad sei. Schließlich hot mr als Wirteberger doch a gewisses geischtiges Nivoh zum beweise. Ond i han gwißt, daß sei Vatter Stroßebahführer gwä isch en Wien, ond dr Jong hätt solle partuh kadolischer Pfarrer werde, aber so äbbes ka mr jo astandshalber net froge.

Ond no hane halt gfrogt: »Entschuldigung, gell

Sie send net zufällig der Träger vom Iffland-Ring?«
Ond no hot der Ma gschwend guckt wie selbichs-
mol als Leibwächter vo dr Sissy, so baff, ond no hot
'r gstrahlt ond glacht wie em Kino ond oim mit
zwoi Händ en Batsch gebe, ond hot drfür gsait
kriegt, daß 'r scho a granadamäßigs Käpsele sei ond
dere Menschheit viel Freud gmacht hot, ond daß
drom der liebe Gott ganz bestimmt net sauer sei,
weil er koi Pfarrer worde isch.

Ond daß dort henterm Neue Schloß oiner uff dui
Hohe Karlsschuel gange sei, wo gern Pfarrer worde
wär, wenn 'r hätt därfe. Ond daß der do die »Räu-
ber« gschriebe hot, wo der Iffland vor 200 Johr bei
dere Premjäre en Mannheim mitgspielt hot.

Ond daß der emmer zum Schiller ghalte hot, wo's
dem en Mannheim so dreckig gange isch. Ond no
hane sogar a Autogramm kriegt, ond wie mr ausan-
andergange send, hot 'r mr no »Gesundheit«
gwenscht, aber net, weil i hätt niese müeße, son-
dern weil mr des brauche ka bei dene viele Krank-
macher heutzudag.

Ond i han em no en scheene Grueß gsait an Wien
ond an d' Maria Theresia en dr Kapuzinergruft, wo
dem guete Herzog Christoph do uff'm Schloßplatz
sei Fenfmol-Urenkele isch, ond an de Mozart uff'm
St. Marxer Kirchhof, wo dr Mörike so schee drvo
gschriebe hot.

Ond wien'e so anegloffe ben, hane denkt, a selte

feiner Ma, an dem könntet sich die eigebildete Kickstiefel, wo aus Versehe amol net nebe's Tor troffe hend ond drherkommet wie dr Graf Gox, a Beispiel nemme. Ond erst recht die Schlagerhansel, wo moinet, se könnet d'Nas nuffziege wie dr Caruso, weil se zwoimal Lalala em Fernsehe hend mache därfe.

Ond han denkt, wem der au amol den Iffland-Ring weitergibt, wo jo bloß »der beste Schauspieler deutscher Zunge« kriegt. Do hätt's a paar saumäßig guete Schauspieler, bloß daß onsre Kenderskender des Theater amol teuer zahle müeßet.

Imagdi

Mensch, bisch du amol a netts Mädle, a saumäßig netts Mädle. Hosch du a schees Xichtle, a wonder-schees Xichtle, scheener wie schee. Gfällt mr echt. Ehrlich wohr.

Ond so scheene lange Hoor, schwarze Hoor ond blaue Auge. Des isch wie Venedich ond Stockholm uff oimol. Ond dei Näsle, wie bei de Jonge vo de alte Grieche. Ond dei goldichs Göschle, mein Liebchen hat einen Rosenmund. Ach was dät i hergebe, wenn i bloß oimol, do druff, mmmmmmh.

Ond erst deine scheene Zeeh, do isch no koi Zahnarzt reich worde an dir. So strahlend weiß wie em Werbefernsehe, wie die Kirschblüete em Rems-tal. Oh wenn i no dei Zahbürst wär, ach wär des schee. Ond a Haut hosch, a Häutle, also noi, Samt, Pfirsich, Aprikose. Ond älles Nadur, koi so a Helena Rubinstein, koi so a agschmierte Farbeschachtel, des isch mr grad recht, denn entweder isch a Mädle

schee, no braucht se koi so a Kosmetikglomp, isch
se 's aber net, no hilft des Zeugs au nex mai.

Du, also der Voltaire do, der hot amol gmoint, 's
gäb überhaupt koine wüeste Mädle, weil älle Engel
wäret, wo vom Hemmel ragfloge seiet, bloß seiet
halt manche dodrbei uff's Xicht gfalle. Also wenn
des wohr isch, no bisch du direkt en a Honigfaß
neigfloge. Denn i könnt grad de gschlagene Dag an
dir romschlecke.

Ehrlich wohr, i ben ganz aweg von dir, ond wenn i
so a Schlagerhansel wär, dät i jetz des Liedle senge
von dr Mona Lisa oder von dr schöne Maid oder
vom schönen Meedchen auf Seite eins. Lalala, lala-
lala. Aber du, du mit deire Scheeheit, du hosch scho
en richtige Troubadour verdient, so en Walther von
der Vogelweide oder so, tandaradei. Oder en Eichen-
dorff, en Lenau, en Liliencron.

Oh, ond deine Füeß, heidenei, soviel Scheeheit
uff oimol, därf denn dees wohr sei?! Zwick me, i
glaub i träum. Also nach dem Gesetz der Serie
mueß au dees, was dei Kloidle versteckt zwische
deine scheene Knui ond deim Schwanehälsle, grad
so schee sei. Ond mr sieht's jo, mit dir dät jeder gern
en's Äpfelschüttle gange. Ond a Ärschle wie a
Krokus.

Sag mol ehrlich, du bisch net zuefällig a Dochter
von dr – ach, wie hoißt se nomol, do dui Italjenere?
Dui kannsch glatt vergesse nebe dir. Aber dei Vat-

ter, gell, der schafft doch als Goldschmied, wenn'r
so a Schmuckstück wie di nakriegt hot. Der hot
echt en Orde verdient, hondertmol eher wie die
Kommißknoche für's Leuthehmache. Ond dei
Muetter au oin, für herausragende Verdienste um
die Umweltverschönerung, wo se doch heut jedem
Dagdieb so a Bundesverdienstkreuz om de Hals
hänget. Ond deine Leut könntet se ruhig en Lehr-
stuhl gebe, daß se andere Leut beibrenget, wie mr
des macht, daß mr so scheene Kender kriegt wie di.

Ond so oine wie du studiert Philosophie en Di-
benge, gibt's denn dees au, beim Bloch, beim Boll-
now, beim Walter Schulz. Do macht's Professorsei
direkt no a Freud, Heimatland! Ond was hosch do
für a Büechle bei dr: Au ... Au ... Con ... Jetz kanne
gar nemme: Aurelius Augustinus Confessiones.
Ond des uff Ladeinisch, do legst di nieder. Ond i han
scho denkt ghet, wenn oine auße so oheimlich
schee isch, daß no für enne nemme viel glangt hot.
Denn des hot glaubich dr Venantius Fortunatus
scho gwißt, daß des relativ rar isch, die drei Sache
uff oim Haufe: Scheeheit, Gscheitheit ond daß se
obedrei no lieb isch. Der hot gmoint, wenn oine
schee ond lieb isch, no isch se net gscheit ond oft a
Bähmull. Isch se aber schee ond gscheit, isch se
meistens a Beißzang ond net lieb. Wenn se aber
gscheit ond lieb isch, no sei se dronternei öfters
amol a Vogelschaich.

Also schee bisch, gscheit bisch, ond wer den Augustin liest, der mueß au lieb sei. Ond deine Fenger nach bisch no ledig. Du i glaub, di hend se für mi rausgsuecht, du wärsch de Richtig für onsre Kender ond für mi. Ehrlich, i ben total fergnalt, i mueß grad sage: amare necesse est. Imagdi. Magschdumiau?

Nachtrag: Dieses Mädle wurde am 22. 10. 1968 von einem rasenden und betrunkenen Studenten in Tübingen zu Tode gefahren.

In mundo nata
non mundo diu data
vive aeternum beata

Lausbublereie

Wenn mr des so mitkriegt, wie die Fortschrittsjok-kel onser Welt, onser Wirteberg ond onser Deger-loch zuerichtet, no ka mr bloß no heule, trüebsen-nig ond zom Schnapsbrueder werde, oder aber, ond des isch gscheiter, billiger ond schwäbischer, den berühmte Standpunkt einemme ond oifach nemme nagucke uff des Elend. Ond sich stattdesse en so alte Büecher vergrabe, wo's drenstoht, wie schee onser Hoimet amol gwä isch, eh se die Verschandler do druff neiglasse hend.

Ond ka no träume vo dene Zeite, wo mir Wirte-berger no äbbes golte hend onter dene Völker Eur-opens, wo mir no en Barbarossa vorbracht hend ond so a Genie wie den Herzog Christoph oder Carl Eugen ond en Schiller ond Hegel. Ond was hend mr heut?

Ond jetz hane so a Buech en d' Fenger kriegt vo anno fuffzehhondertondograd, ond do send lauter so

scheene Gschichtle dren vo Stuegert ond Omge-
bong, ond ois drvo isch bsonders nett: »Anno 1476
haben auch einige junge Pursche, welche bey Nacht
auf der Gassen herum geschwermet, als sie den
Wächter betruncken und schlaffend auf dem
Marckt angetroffen, einen Mist-Wagen, den sie auf
der Gassen gefunden, von einander gethan, Stück-
weise auf das Rathauß hinauf getragen, und droben
die außeinander gelegte Stücke wiederum aneinan-
der gefüget, und die Deichsel zum Laden hinaus
ragen lassen, folgenden Morgen, als es die Leute
sahen, entstunde eine große Verwunderung und
Gelächter über diesen mühsamen Possen. Das, was
zuvor geschwind geschehen war, erforderte darauf
eine längere Arbeit und Mühe im herunter tragen.«

Ond bei dem scheene Stroich hane dradenke
müeße, daß e jo selber a Weile uff'm Rathaus
gschafft han, en dere Zeit, wo die Trieler au no auße
dra gwä send. Ben sogar dr Öberste ond dr Haichste
gwä vo dem ganze Verei, han nämlich a Zemmer
ghet em Turm direkt onter'm Glockespiel ond a
Aussicht wie uff'm Hasebergturm. Dr schenste Ar-
beitsplatz isch des gwä, ond wenn mr überlegt, was
mr hätt do für Stroich mache könne, no wird's oim
heut no ganz nostalgisch oms Herz.

Selbichsmol isch grad dr Arnulf Klett gange gwä
ond se hend en frische braucht drfür. Ond do hot
so a ganz wiefer ond gscheiter, aber preißischer

Schnellschwätzer kandidiert ond a schüchterns
Schwäble emme verschossene Azügle ond hot
kaum en Satz ogackst rauskriegt. Ond vor lauter
Mitleid ond weile gmoint han, solang dr Papst no
kadolisch sei mueß, sott au dr Schultes vo Stuegert
no a Schwab sei, ond weil der so en dippeliche
Spruch ghet hot »Weil er tut, was er sagt« (won'r
doch kaum äbbes gsait hot), ond weil kaum äbber
glaubt hot, daß'r gwennt ond sei späterer Persönli-
cher Referent sogar no schnell aus Versehe en dui
SPD eitrete gwä isch, wege dem ällem hane denkt,
dem Male mit seire Pfeif, dem sottsch en Gfalle do,
mir Schwabe müeßet doch schließlich zeemehalte.
Ond han wölle helinge a Fahne zom Fenster raus-
hänge am Rathaus, a alte Bettziech, wo druffstoht:
»Sei kein Hommel. Wähl den Rommel. gez.
G. W. F. Hegel«.

Ond isch scho älles nagrichtet gwä, aber, wie
wenn se's gschmeckt hättet, hend se me omquar-
tiert, weil der Wenter '74 komme isch ond der
Turm koi Heizong hot. Heut bene direkt froh, daß e
dui Dommheit net gmacht han, denn mittlerweil
send mir viel bessere Versle eigfalle...

Des scheene Zemmer em Turm hane no leider
nie meh kriegt, ond des pfupfert me heut no grana-
damäßig. Denn i hätt nämlich so gern, wenn der
Franciscus Josephus Cisalpinus mit seim habergel-
be Spezel, dem Stoiber, vorem Rathaus gstande wär

ond uff die Leut neipräglet hätt em Wahlkampf, do hätte so gern zwoi, drei Kübel voll Hembeersaft, Spüelwasser, kalte Kakao, Tapetekleister oder sonst so a schlabbriche Brüeh zu dem Fenster nauskippt wie en saure Rege, daß der wenigstens amol en seim Lebe vo obe ois uff de Deckel kriegt hätt. Des hätt vielleicht sogar für a paar Woche Asperg glangt, was jo direkt a Ruhmesblatt isch für jeden Wirteberger.

Ond aus dem Höheren Dienst der Landeshauptstadt hätte se oin jedefalls au nausgschmisse, aber wenn mr so woiß, was sich do teilweis sonst no romtreibt, no wär des direkt a Pluspunkt am Jengste Dag. Ond was dui Reinigung vo dene verschlonzte Azügle agange wär, do hätt garantiert dr Herr Bundeskanzler, welcher au emmer, helfe mitzahlt, des wär dem der Spaß wert gwä. Ond onter ons, so preisgünstig isch selte a Stroich, wo uff'm Rathaus gmacht wird.

Oh wie oft hane au an die leere Zemmer em Rathausturm denke müeße, do könnt mr ruhig die obere Etasche vom Rathaus neisetze, denn so overfrore, wie die mit onserer Hoimet omganget, bräuchtet die koi Heizong, ond der Weitblick dät dene gwieß nex schade. Em Gegedoil, des dät sich sicher positief auswirke, wenn dene ihr Horizont nemme länger vo so Betobunker am Marktplatz begrenzt wär.